Pac o Feirdd

Barddoniaeth ar gyfer pobl ifanc

Golygwyd gan
Myrddin ap Dafydd

Pac o Feirdd

Iwan Llwyd
Elinor Wyn Reynolds
Myrddin ap Dafydd
Aled Lewis Evans

Gwasg Carreg Gwalch

Comisiynwyd a chyhoeddwyd dan nawdd
Cynllun Cyhoeddiadau Cyd-bwyllgor Addysg Cymru.

Mae Uned Iaith Genedlaethol Cymru yn rhan o WJEC CBAC Limited,
elusen gofrestredig a chwmni a gyfyngir gan warant ac a reolir gan
awdurdodau lleol Cymru.

CBAC

Rhif llyfr safonol rhyngwladol: 0-86381-804-8

Argraffiad cyntaf: Hydref 2002

Argraffwyd a chyhoeddwyd gan Wasg Carreg Gwalch,
12 Iard yr Orsaf, Llanrwst, Conwy LL26 0EH.
lle ar y we: www.carreg-gwalch.co.uk

Pethau i chwarae â nhw yw cardiau, ac mewn ffordd, chwarae y bydd beirdd hefyd – cymysgu a delio a throi a throsi a chwarae gyda geiriau. Oes, mae ystyr arbennig i bob gair – a rhaid cofio hynny – ond eto, nid geiriadur sy'n rhoi ystyr i eiriau bob tro. Mae pob gair yn cario ei sŵn, ei gysylltiadau a'i luniau ei hun gydag ef. Rhan o grefft y bardd yw cynnig patrymau newydd inni, er bod y geiriau'n hen gyfarwydd.

Pedwar bardd sy'n cyfrannu i'r gyfrol hon – deg cerdd yr un – ac mae'r ysgrif am gefndir pob un ohonynt yn gyfle i ddod i'w hadnabod yn well, deall beth sy'n eu cynhyrfu a sut maen nhw'n mynd ati i greu gyda geiriau. Yn ogystal, mae dawn yr arlunydd Jac Jones yn agor gorwelion y geiriau ac yn cynnig lluniau gweledol i ategu'r lluniau sydd yn y cerddi.

Cerddi newydd sydd yn y casgliad hwn - nid ydynt wedi gweld golau dydd o'r blaen. Mae amrywiaeth eang o fesurau yma – cerddi caeth, rhai mydr ac odl a rhai *vers libre*. Mae yma ffurfiau traddodiadol a rhai modern, cerddi storïol a cherddi disgrifiadol, cerddi ysgafn a cherddi mwy difrifol. Ond cerddi newydd ar gyfer cenhedlaeth newydd yw'r casgliad cyfan. Gobeithio y byddant nid yn unig yn rhoi pleser a mwynhad ond hefyd yn sbardun i droi darllenwyr ifanc, yn eu tro, yn feirdd.

Myrddin ap Dafydd
1 Medi 2002

O Dal-y-bont i Dal-y-bont

Mae'n hen arfer i ddisgrifio bywyd fel taith. Ac mae'n rhyfedd cymaint o gyd-ddigwyddiadau ddaw i'n rhan ar y daith honno. Er mai yng Ngharno, Powys, y cefais i fy ngeni, ym mhen chwe mis roeddwn i'n byw yn Nhal-y-bont, Dyffryn Conwy. A dyna lle mae fy atgofion cynharaf – eira mawr 1963, chwarae yn y bêls adeg cynhaeaf gwair, llifogydd mawr ar afon Conwy a chant a mil o bethau eraill.

Erbyn heddiw rwy'n byw yn Nhal-y-bont ger Bangor, pentref arall tua'r un maint. Ond pentref ar gyrion dinas dipyn mwy. A'r ddinas honno fu'n gartref i atgofion ail hanner fy mhlentyndod – Arwisgo y Tywysog Siarl yn 1969, yr Eisteddfod Genedlaethol yn dod i'r ddinas, syrthio mewn cariad efo merch drws nesa a holl gyffro Sîn Roc Gymraeg y '70au.

Fel mab i weinidog roedd geiriau yn rhan bwysig o 'mywyd ers yn gynnar iawn. Er bod pregethau ac emynau yn medru bod yn ddiflas iawn i hogyn ifanc, mae'r gorau ohonyn nhw yn llawn o ddisgrifiadau a delweddau byw, o straeon neu droeon difyr, ac o farddoniaeth. Yn aml iawn, tra oedd y pregethwr yn ceisio cynnal diddordeb yr oedolion fe fyddwn i'n pori yn y llyfr emynau – a dyna'r lle cynta i mi glywed am lefydd rhyfedd fel Periw a'i holl aur a thrysorau'r India. Dro arall fe fyddai'r pregethwr yn ddigon diddorol i ddal fy sylw – a gan amlaf yr hyn yr oedd o'n wneud bryd hynny oedd defnyddio adnod arbennig er mwyn dweud rhyw wirionedd am fywyd. Yn union fel y mae bardd yn defnyddio delwedd neu ddarlun er mwyn rhannu rhyw brofiad neu deimlad.

Beth sydd yn ysbrydoli bardd? Pam wnes i fynd ati i ddechrau barddoni? Yn Ysgol Uwchradd Friars ym Mangor fy athro Cymraeg oedd Hywel Bebb, mab yr awdur Ambrose Bebb, ac roedd y ffordd yr oedd o'n trafod barddoniaeth a llenyddiaeth Gymraeg yn tanio fy nychymyg innau. Roeddwn i'n hoff o waith beirdd fel Gwenallt ac R. Williams Parry (rwy'n dal i fedru adrodd 'Y Peilon' ar fy nghof!) ond fy ffefryn oedd T.H. Parry Williams, ac yn arbennig ei gyfrol *Cerddi*. Wrth ddysgu chwarae'r gitâr fe wnes i drio gosod rhai o gerddi taith T.H. i gerddoriaeth! Ac fe ddechreues i sgwennu cerddi dan ddylanwad T.H., a chyhoeddi sonedau a rhigymau cynnar yng nghylchgrawn Ysgol Friars, *y Dominican*. Mae llawer o'r cerddi yma yn trafod angst arferol rhywun yn ei arddegau – colli cariad, trio deall crefydd a chenedlaetholdeb, teimlo'n unig ac yn wahanol – ac mae stamp arddull a geirfa T.H. yn drwm arnyn nhw.

Rwy'n cofio un gerdd gynnar – 'Cyflwyno Rhyddid y Ddinas i'r RAF' – pan gafodd yr awyrlu ryddid Dinas Bangor yn 1975. Fe wnaeth hyn fy ngwylltio – ym mis Mawrth y tu allan i hen Eglwys Gadeiriol Deiniol Sant, roedd cynrychiolwyr imperialaeth Brydeinig yn gorymdeithio. Ac mae pethau croes i'w gilydd felly yn dal i sbarduno cerddi. Rwy'n hoff o wrthosod a chyferbynnu oesoedd gwahanol, neu wledydd gwahanol neu bobol wahanol. Er y gwahaniaeth rhwng gwahanol gyfnodau neu lefydd neu bobol, gellir dychmygu mai yr un fwy neu lai fyddai ymateb gwaelodol pobol i'w hamgylchiadau – gobaith, ofn, hiraeth, llawenydd, caru, dathlu a galaru.

I mi, mae barddoniaeth fel tynnu llun efo geiriau. Mae'r bardd yn ceisio dal eiliad o brofiad neu deimlad. Ac mae'n rhaid dewis yr eiliad a dethol y geiriau. Gall ysbrydoliaeth ddod o sawl cyfeiriad. Sgwrs. Digwyddiad. Rhaglen deledu. Papur newydd. Sylwi ar rywbeth bach, di-nod yn aml, ac weithiau pethau mwy trawiadol neu arwyddocaol. Ac yna ceisio defnyddio delwedd neu lun geiriol i wneud y llun yn weladwy i eraill.

Ac mae hynny'n bwysig. Cyfathrebu ydy hanfod pob barddoniaeth. Er bod llawer ohonom wedi ein magu ar y ddelwedd o'r bardd unig yn ei lofft tamp yn byw ar gaws fel llygoden eglwys, yn tywallt ei ofid a'i gariad a'i ddicter ar ddalen lân yna ei sgrynshio i fyny a'i thaflu i'r bin sbwriel rhag i rywun ei darllen a chywilyddio, mae yna ddarlun llawer hŷn o'r bardd – yn arbennig yng Nghymru. Dyma'r bardd fel ffigwr o ddylanwad o fewn cymdeithas – yn cofnodi, dathlu, marwnadu, dychanu – y cyfan yn fater o gyfathrebu a diddanu ei gynulleidfa. Ac er mwyn cyfathrebu mae'n rhaid bod yn ddealladwy. Does dim pwrpas defnyddio iaith neu ffurf neu ddelwedd nad oes neb arall yn ei deall. Ond eto mae barddoniaeth yn fwy na sgwrs, neu ddeialog, neu ddisgrifiad, neu bregeth, gobeithio. Dyna grefft y bardd, troi geiriau cyffredin, trwy ddefnyddio delweddau, odlau, mesurau, rhythmau, yn rywbeth arall, sy'n medru cyffroi darllenydd neu wrandawr.

Mae'r daith yn dal i fynd yn ei blaen wrth gwrs, ac mae teithio wedi bod yn sbardun arall i sgwennu cerddi. Rwyf wedi bod yn lwcus a chael teithio gogledd a de America yn ogystal â Chymru fach a gwledydd Ewrop, ac mae pob taith yn dod â phrofiadau newydd a syniadau newydd. Ac mae enwau yn bwysig ar daith – dyna ein map ni, ac mae gwahanol enwau, sŵn ac ystyron enwau llefydd hefyd yn fan cychwyn i sawl cerdd.

Llanddona

Ar fore o Ionawr a'i farrug
yn gorwedd yn slei ar yr allt,
cyrhaeddais fan tu hwnt i'r Fenai
a llwydrew y Bwclai'n fy ngwallt:

rhyw lan sy'n disgyn dragywydd
rhwng Corn Ŷd a Chorn Ŷd Bach,
lle mae llygaid y rhos yn diferu
a'r gylfinir yn canu'n iach:

rhyw draeth lle mae'r cregyn yn crynu
a'r rhew fel dannedd y cŵn,
a phopeth gwerth chweil ar i fyny,
lle mai synnu yw cadw sŵn:

rhyw fan lle mae'r gorwel yn angor,
rhyw gulfor yng ngolwg y lli,
rhyw ffenast rhwng y mast a'r môr
lle gwelaf fy Nghymru i.

Cerdd a gyfansoddais ar ôl bod ar daith gerdded gyda rhai o blant ysgol Llanddona o amgylch eu hardal yw hon. Mae Llanddona o olwg tir mawr Arfon rhywsut, yn cuddio ar yr ochor bella' i ynys Môn. Mae'n edrych draw tuag at y môr sy rhwng Môn a Lerpwl, ac mae i'r ardal hen hen gysylltiadau, sy'n amlwg yn yr enwau ar y tir a'r tyddynnod. Ond yr hyn sydd fwyaf amlwg yno bellach yw'r mast teledu, sy'n golygu bod hyd yn oed y llecyn diarffordd yma mewn cysylltiad â gweddill Cymru.

Gair am air

Y Fenai
y culfor rhwng Môn a gweddill Cymru

Bwclai
y teulu o foneddigion oedd yn arfer bod yn berchen y rhan yma o Fôn

Mynd i bysgota

Hen afon dan ddail ifanc
a'i llif yng ngolygon llanc
a ddaeth fel y daeth ei dad
a'i wialen yn alwad
i gymryd pwyll a thwyllo
'r eog rhydd o byllau'r gro:

a daw'r eog i'r Ogwen
a dŵr y byd ar ei ben,
troi adref trwy'r rhaeadrau
a dŵr ddoe'n dod i'w ryddhau;
yn dychwelyd i chwilio
am raean ei anian o:

brathiad pluen, a'r enwair
eto'n gwyro, ar y gair
dyma'r gwrthryfel arian
yn llamu a gwlychu glan;
hen, hen rym yn torri'n rhydd,
hen wae yn llanw newydd.

Peth rhyfedd ydy traddodiad. Fe ddaw eog i fyny afon arbennig oherwydd fod ei dad a'i daid wedi dod i fyny yr afon honno. Ac yn aml fe wnaiff bachgen ddechrau mynd i bysgota oherwydd traddodiad yn y teulu. Dwi'n byw ar lan afon Ogwen, afon lle mae'r pysgod yn brin erbyn hyn, ond eto afon lle y daw llawer i bysgota. Ond fe all traddodiad hefyd fod yn gaethiwed. Mae'n rhaid torri'n rhydd weithiau er mwyn i draddodiad ddatblygu. Dyna sydd gen i yn y cywydd hwn, ac fe ddefnyddiais fesur caeth er mwyn awgrymu caethiwed traddodiad o dro i dro.

Gair am air

graean
gro, cerrig mân mewn afon (lle bydd eog yn claddu ei wyau)

anian
natur, cymeriad

Carol Branwen

(2il Rhagfyr 1999 – ar adeg arwyddo cytundeb heddwch Iwerddon)

Rhua'r gwynt, rhua'r gwynt
wrth chwipio meirch y môr,
a chlywch, clywch, yn codi'n uwch
weryru gwyllt y côr,
yna ar long ar liain wen
daw gobaith hen ganrif sy'n dod i ben,
tangnefedd baban mud:
cwsg, cwsg, f'anwylyd bach,
fe ddoi di i'r lan yn iach:

daw dy dro, daw dy dro,
wedi'r bwledi blin,
a brawd fydd yn frawd, a bro
a ddaw yn wlad ddi-ffin,
cwsg tra bo'r gwynt ma'n rhoi megin i'r fflam,
cwsg yn ddiogel ym mreichiau dy fam,
daw fory'n frain i gyd:
cwsg, cwsg fy maban i,
daw'r llanw'n awr â ni.

Comisiwn gan y cylchgrawn *Golwg* ar gyfer carol newydd oedd man cychwyn y gerdd hon – neu'r garol hon ddylwn i ddweud. Mae ar batrwm y garol gyfarwydd 'Sua'r Gwynt', fy hoff garol i, sy ar hen dôn draddodiadol. Roeddwn i wedi bod ar ymweliad ag Iwerddon ar adeg arwyddo'r cytundeb heddwch, a daeth chwedl Branwen a digwyddiadau trist y chwedl honno i gof. Gyda'r cytundeb newydd roedd gobaith am heddwch o'r diwedd. Ac roedd symudiad y llong ar y tonnau yn awgrymu hwiangerdd.

Mur Clwt Lloer

Mae'r nos yn oer
ym Mur Clwt Lloer,
a'r lloi i gyd dan glo,
a sŵn y dŵr
fel anadl gŵr
a'i freuddwyd o ar ffo:

a phan ddaw'r sêr
dros orwel gwêr
fel llygaid gloywon bach,
fe ŵyr y nos
y daw lleuad dlos
ac arian lond ei sach:

drwy'r oriau mân
mae atsain cân
ym mrigau gwelw'r coed
a chysgod dyn
ar ei liwt ei hun
yn dilyn ôl ei droed

yn ôl i'r fan
a adawodd pan
roedd barrug ar ei boer,
a'i gysgod o
fel llygaid llo
'n rhewi ym Mur Clwt Lloer.

Dwi wrth fy modd efo mapiau, yn arbennig rhai manwl, sy'n rhoi enwau hen lecynnau a chaeau hyd yn oed. Roeddwn i'n gweithio efo criw o ddisgyblion yng nghanolfan Tŷ Newydd, ac yn defnyddio map fel man cychwyn. A dyma daro ar yr enw Mur Clwt Lloer. Am enw hyfryd. A chymaint o hanesion dirgel yn cuddio yn yr enw hwnnw. Weithiau mae sŵn enw yn ddigon i awgrymu cerdd, a dyna sydd yma, a'r odlau yn awgrymu cyfeiriad y gerdd.

Cariadon

(Dau ar y bar yn parablu, fo a'i ffag, hi yn ei choch i gyd)

'Un bach 'dw i 'sti,
sbia ar 'i fol o:
mae o isio staes!'

hi 'di bod yn Leos
yn prynu tatws mawr
a chaws Caer:

''na i'm prynu peint iddo fo,
ma' bwyd yn well at 'i iechyd,'
Yn ffeirio ffa a thomatos,

byw ym mhocedi'i gilydd
law yn llaw:
'mae o'n siarad lol heddiw'

a dyma fo yn gafael ynddi,
yn ei gwasgu'n dwt at ei fol
a'i throi yn wên i gyd:

cymryd drag o'i ffag,
rhoi sws gwlyb i'w sigarét,
a hithau yn ei het goch

yn chwerthin ei deg a thrigain
yn braf drwy far y Pendeits,
fel y dylai un o genod dre.

Mae ambell i sgwrs weithiau yn tanio'r dychymyg. Tra oeddwn i'n gweithio yng Nghaernarfon fe fyddwn yn cael cinio yn nhafarn y Pendeits gyferbyn â'r castell. A dau o'r selogion yno oedd gŵr yn tynnu at ei bedwar ugain a'i 'ffrind' oedd wastad yn gwisgo'n grand i fod yn ei gwmni. Fe fyddai hi yn poeni nad oedd o'n bwyta'n iawn, ac yntau'n cymryd arno nad oedd o'n poeni dim amdani hi. Ond eto roedden nhw'n ffrindiau mawr, os nad yn gariadon.

Gair am air

staes
dilledyn tynn fel gwregys mawr i gadw'r bol i mewn!

ffeirio
cyfnewid

Tina Turner

Roedd hi'n gweini tu ôl i'r bar
yn nhafarn y Waterloo,
lle daw pererinion sychedig
i dorri'r daith yn Crewe.

Ymddiheurodd am nad oedd finag
i chwerwi y bastai sych
cyn troi i gywiro'i minlliw
a thwtio'i gwallt yn y drych.

Roedd hi'n tynnu am oed yr addewid
a'r blynyddoedd 'di oeri'i gwaed,
ond digwyddais roi cân ar y jiwc bocs
a daniodd ddawns yn ei thraed:

'dwi'n cael trip i Hamburg mis nesa'
i wrando ar hon wyddoch chi,'
ac am eiliad roedd Tina Turner
yn hy'n ei cherddediad hi.

Taith ar drên y tro yma, a gorfod torri'r daith yng ngorsaf Crewe. Fe es i westy cyfagos i gael cinio, a dim ond y fi a'r wraig y tu ôl i'r bar oedd yno. Roedd hi'n ddigon surbwch wrth i mi archebu pastai i ginio. Ond yna fe wnes i roi cân gan Tina Turner ar y jiwc bocs a dyma 'na wên ar ei hwyneb, fel petai hi'n ferch ifanc unwaith eto.

Tai teras

Mae'r lloriau a'r waliau 'run ffunud,
mor gydradd â'r dagrau a gollwyd
wrth i seiren arall seinio'n y chwarel
am fargen olaf arall a drawyd:

mae'r drysau a'r ffenestri'r un maint,
er i bapur a llenni newydd
ddod a chuddio y cerrig di-raen
a rhoi paent ar y gratiau di-ddefnydd:

mae'r gerddi bach cyfyng yn dal
i aeddfedu dan yr awyr dywyll,
a thrwy rhyw wyrth na threfnwyd gan Dduw,
mae'r terasau yn dal i sefyll:

ac er i dwrw y miloedd ddistewi,
er i'r ponciau roi taw ar eu straeon,
fe fydd llwch du'r ysgyfaint yn bwrw'r
un glaw ar y toeau a'r gweddwon.

Yn Amgueddfa Lechi Cymru, Llanberis, mae rhes o dai teras y chwarelwyr wedi eu hailgodi a phob un yn cynrychioli blwyddyn arwyddocaol yn hanes chwareli gogledd Cymru – un yn y 1860au pan oedd y chwareli ar eu hanterth, un tua 1902 ar adeg streic fawr y Penrhyn, ac un yn 1969 pan gaeodd chwarel Dinorwig. Mae pob tŷ yn wahanol iawn wrth gwrs, ond eto mae'r siâp sylfaenol yr un fath. Ac er y newidiadau, yr oedd bywyd y chwarelwyr yr un mor galed yn 1969 ag yr oedd yn y 1860au. A hyd heddiw mae cysgod llwch y chwarel yn dal ar y terasau tai ym Methesda a Llanberis, Dyffryn Nantlle a Blaenau Ffestiniog.

Gair am air

bargen

yr enw ar y cytundeb rhwng y chwarelwr a'i gyflogwyr, ac roedd yn rhaid bargeinio'n galed i gael telerau teg

ponciau

y tomenni llechi sydd bellach yn prysur gael eu cuddio dan lesni unwaith eto

Carreg Cennen

Roedd yn arfer gwarchod y briffordd,
yn un o gadwyn o gestyll
ar hyd lannau Tywi:

Y Dryslwyn, Dinefwr ac yma ym mhen y dyffryn
yr uchaf ohonyn nhw i gyd,
yn cadw llygaid barcud ar y byd:

erbyn heddiw rhaid gadael y briffordd,
dilyn y lonydd troellog, diarffordd,
y cefnffyrdd sydd wedi hen adael y map,

sy'n cuddio'n y pantiau tu hwnt i Trap,
lle mae'n rhaid oedi
i adael i dractor neu fws fynd heibio:

ac yna gadael y cerbyd a dringo
heibio'r hwyaid a'r defaid corniog,
cyn cyrraedd â dyrnau'n llawn gwynt:

dim ond bref y gwartheg a chwiban sigl-i-gwt,
ac ymhell, bell uwchben
awyren a'i chynffon wen

ar y briffordd i'r byd newydd:
yna un arall, ac un arall ar ei chwt,
yn hedfan drwy'r machlud ar Dywi:

Roedd yr Arglwydd Rhys wedi ei gweld hi –
mae ei gastell yn dal ar y briffordd o hyd,
y briffordd aruchel i ben pella'r byd.

Mae castell Carreg Cennen yn sefyll yn uchel uwchlaw dyffryn Tywi yn Sir Gaerfyrddin. Mae'n un o gadwyn o gestyll Cymreig a godwyd gan yr Arglwydd Rhys yn ôl yn y ddeuddegfed ganrif i warchod tiroedd cyfoethog dyffryn Tywi. Dau o'r cestyll eraill yw y Dryslwyn a Dinefwr. Bryd hynny fe fyddai'r briffordd yn rhedeg i lawr y dyffryn o gastell i gastell. Erbyn heddiw mae'n rhaid dilyn y lonydd cefn, anghysbell i gyrraedd castell Carreg Cennen. Ond eto, pan oeddwn i yno, roedd awyrennau'n hedfan yn uchel uwchben, ar eu ffordd i'r America. Mae mapiau'n newid, yn dibynnu pwy sydd wedi eu llunio nhw. Ond eto efallai bod yr Arglwydd Rhys wedi'i gweld hi, a bod ei gestyll o ar briffyrdd llawer hŷn na'r priffyrdd a ddaeth i Gymru wedi i Loegr ein gorchfygu.

Gair am air

Trap
pentref wrth droed Carreg Cennen

sigl-i-gwt
wagtail, aderyn

Ar y ffôn

Maen nhw'n tynnu'r hen focsys ffôn i lawr,
un wrth un,
y cromfachau cochion
oedd ym mhob pen y pentref:

er mai dim ond lle i un oedd ynddyn nhw,
fel bocs ffôn Dr Who
roedd yn rhyfedd faint o hogia
allai glustfeinio

a faint o genod allai hel yno
i gario clecs
a chwythu cusanau i lawr y lein:
cynnig cysgod mewn cawod law

a chornel ar noson ddi-leuad,
ac ar glawr melyn y llyfr
roedd cyfle i dorri enw
a chariad cyntaf:

erbyn hyn mae gan bawb ei ffôn
pob un a'i felodi ei hun,
a dim sôn am harmoni –
ac ar drên neu fws dyna gantata

fel Tŵr Babel o leisiau,
ac mae'r pentref yn ddi-gromfachau
yn graddol fynd yn un â'r nesa',
a'r blychau cochion mewn amgueddfa

a'r genod a'r hogia yn tyfu'n hŷn,
heb le i rannu cyfrinach,
pob un wrtho'i hun,
yn pwyso ar ei ffôn.

Y blwch ffôn oedd lle roedd pawb yn cyfarfod ers talwm, a hyd yn oed yn cysgu weithiau! Roedd blwch ffôn Dr Who – y *tardis* – yn enwog, yn llawer mwy ar y tu fewn nag ar y tu allan. Erbyn heddiw mae gan bron bob un ei ffôn ei hun, ac mae'r teimlad cymdeithasol o gasglu yn y blwch ffôn wedi diflannu.

Gair am air

Tŵr Babel
chwedl o'r Beibl sy'n sôn am sut y crewyd holl wahanol ieithoedd y ddaear

Tasa

Tasa gen i nain gyfoethog
yn berchen plasty gwych, mawreddog
tasa hithau'n penderfynu
bod ei harian yno i'w rannu,
tasa gen i frawd yn filiwnydd
neu ewythr clên yn Efrog Newydd
fe awn ni atyn nhw i aros
a chael Nikés newydd bob pythefnos:

tasa Sante Fe yng Nghymru,
tasa'r byd yn darfod fory,
tasa aur yn nŵr yr afon,
tasa'n ffrindiau yn angylion,
tasa du yn wyn a'r lleuad
yn nes yma na Llanrhuddlad,
tasa'r gwyliau byth yn darfod,
a dim llefaru'n yr eisteddfod:

tasa'r môr uwchben y mynydd,
tasa Cerys Catatonia'n wleidydd,
tasa addysg yn wirfoddol
a barddoni'n nwylo'r bobol,
tasa Hollywood yn galw,
neu Graham Henry, ar fy marw
faswn i'm yn eistedd yma'n
gorfod gwneud fy nhipyn TASAU!

Mae pawb yn dychmygu medru dianc rhag blinderau bywyd bob dydd. Ac weithiau mae dychmygu yn mynd â ni i lefydd rhyfedd a difyr.

Gair am air

Santa Fe

dinas yn Mecsico Newydd: un o hoff lefydd T.H. Parry Williams ac Iwan Llwyd

Llanrhuddlad

pentref yng ngogledd Sir Fôn

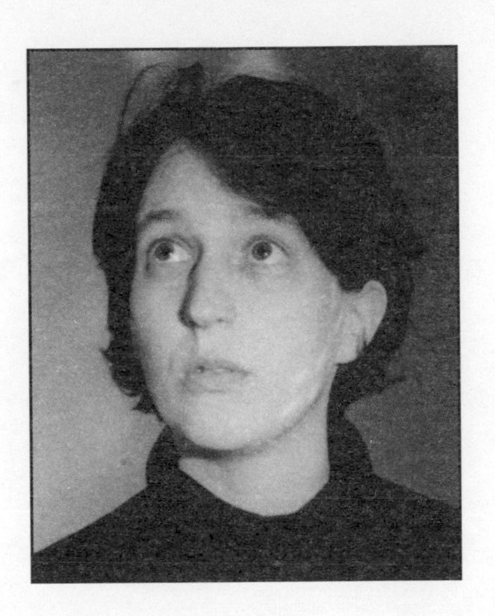

Pam rwy'n hoffi goglish geirie

Ces fy ngeni yn Nhreorci yn y Rhondda ond symudodd y teulu i Gaerfyrddin cyn fy mod i'n medru cofio dim! Yn y gorllewin ces i fy magu, felly, er rwy'n meddwl yn aml pa mor wahanol fyddai bywyd wedi bod petaem ni wedi aros yn y Rhondda. Mae llwybrau bywyd a'r dewisiadau sy'n cael eu gwneud – ffawd, os mynnwch chi – yn rhywbeth sy'n fy niddori i'n fawr: y 'beth petai' ffactor.

Bûm am flynyddoedd yn gweithio mewn gwahanol rannau o Gymru yn gwneud hyn a'r llall, o gyfieithu i weithio mewn theatr ond bellach, rwy'n byw yng Nghaerdydd gyda 'ngŵr a 'mab bach, a phwy ŵyr am ba hyd fydda' i yno cyn symud ymlaen i ran arall o Gymru? Bellach, rwy'n gweithio ar fy liwt fy hun yn ysgrifennu a gwneud pob math o bethau gyda geiriau, gan mai dyna yw fy nileit i. Rwy'n mwynhau defnyddio, ystumio, goglish a chwarae gyda geiriau mas draw – wrth gwrs, os na sgwenna' i ddim byd, chaf i mo 'nhalu!

Rwy'n dod o deulu sy'n hoffi geiriau, yn hoffi chwarae gyda geiriau a gwneud jôcs allan o sŵn ac ystyr geiriau – mae'n debyg na fyddai neb arall yn gweld yr hyn sy'n gwneud i ni chwerthin fel teulu yn ddoniol, ond rydyn <u>ni</u> yn ein dwble bob tro!

Pan o'n i'n blentyn, doedd dim yn well gen i na chael dalen wag o bapur i gychwyn ysgrifennu stori arni, achos roedd y posibiliadau'n ddiddiwedd a gallai'r stori fynd â fi i unrhyw le. Ond yn aml iawn, doedd y stori fyddai'n cael ei chreu fyth cystal â'r un oedd yn llechu yn fy mhen yn rhywle. Rwy'n dal i weld hynny'n wir gydag ysgrifennu cerddi; yn aml 'dyw realiti cerdd ddim cystal â'r syniad gwreiddiol yn fy nychymyg. Ambell waith, mae'r gerdd yn taro deuddeg, ac wedyn, iesgob, rwy'n anhygoel o fodlon a smyg gyda fi fy hun! Pan o'n i yn yr ysgol gynradd hefyd, gwnes i ysgrifennu fy nrama gyntaf ac mi o'n i'n hoff o ysgrifennu cerddi (gwael iawn!) – dydw i ddim wedi colli'r hoffter yna o eiriau ac yn meddwl bod geiriau yn bethau pwerus, sy'n medru effeithio ar bobl ac yn medru newid y byd. Yn aml iawn wrth wrando ar gân, nid y gerddoriaeth sy'n fy swyno i ond y geiriau.

Bellach, rwy'n creu barddoniaeth ac yn mwynhau darllen cerddi i bobl i weld beth yw eu hymateb – rwy'n hoff iawn o ysgrifennu cerdd ddoniol a chlywed pobl yn chwerthin wedyn. Rwy'n achub ar bob cyfle i ddarllen cerddi yn gyhoeddus am fy mod i'n mwynhau rhannu profiadau a theimladau gyda phobl eraill. Rwyf hefyd yn ysgrifennu straeon a dramâu a phob math o bethau eraill sy'n mynd â'm ffansi.

Rwyf wedi sôn am fy hoff bethau, sef geiriau; rwyf hefyd yn hoff ofnadwy o siocled, darllen, archfarchnadoedd, gwnïo a mynd am droeon hir, hir – cyfuniad rhyfedd, mae'n rhaid 'mod i'n berson rhyfedd iawn! Rhaid cyfaddef 'mod i'n casáu cŵn am fod ganddyn nhw ddannedd a'u bod nhw'n dueddol o'u defnyddio! Rwy'n casáu eu cyfarth nhw a'u drewdod hefyd. Rwy'n meddwl bod cadw dyddiadur yn gofyn am drwbwl – mae'n siŵr y bydd rhywun yn ei ddarllen; dim ond un ffordd sydd o sicrhau na fydd neb yn darllen eich dyddiadur, peidiwch cadw un!

Ar y cychwyn, rwy'n meddwl i 'nheulu ddeffro fy niddordeb i mewn ysgrifennu: roedd fy nau dad-cu yn hoff o farddoniaeth ac yn ysgrifennu dipyn – er na wnes i gwrdd â nhw – mae'n rhaid ei fod e yn y gwaed! Ro'n i'n dysgu cerddi gartre, yn yr ysgol ac yn y capel ac yn mwynhau adrodd o flaen cynulleidfaoedd. Mae'n debyg mai'r cam naturiol nesaf oedd ysgrifennu cerddi fy hun.

Ro'n i'n lwcus i gael athro oedd yn mwynhau barddoniaeth a straeon yn fawr yn yr ysgol gynradd, sef Arwel John. Bydden ni'n gwneud mathemateg yn y bore 'er mwyn ei gael e' mas o'r ffordd' – oedd yn siwtio fi i'r dim, achos mi fedren ni ganolbwyntio ar bethau diddorol drwy weddill y dydd wedyn! Ces athrawon da drwy gydol fy ngyrfa ysgol a oedd yn mwynhau darllen, ysgrifennu a geiriau llawn gymaint â fi.

Fedra' i ddim enwi beirdd sy'n hoff feirdd i mi; rwy'n dueddol o hoffi cerddi unigol ac rwy'n hoffi cerddi yn y Gymraeg a'r Saesneg gystal â'i gilydd – rwy'n hoff iawn o gerdd Iwan Llwyd sydd wedi'i gosod i gerddoriaeth ar gryno ddisg Steve Eaves am Garej Lôn Glan-môr ym Mangor; rwy'n hoff o gerdd o'r enw *'If Love Were Jazz'* gan Linda France, *'Dis Poetry'* gan Benjamin Zephaniah a 'Pais Dinogad' sy'n gerdd ddienw a ysgrifennwyd ganrifoedd yn ôl yn y Gymraeg. Petai'n *rhaid* i fi ddewis hoff fardd, Waldo Williams fyddai hwnnw am ei fod yn defnyddio geiriau a theimladau mor gelfydd ac yn gwneud i'r cyfan ymddangos mor syml. Rwy'n hoffi cerddi Dewi Pws hefyd am eu bod nhw (a fe) mor wallgo! Gyda cherddi, rwy'n hoffi teimladau dwys, ond rwyf hefyd yn hoff iawn, iawn o chwerthin. Gwnewch i fi chwerthin, ac mi fyddwch chi'n ffrind am byth!

Mae'n anodd dweud sut fydda' i'n dewis testun. Mae gen i lyfr nodiadau bach, ac mi fydda' i'n cadw cofnod o syniadau, geiriau neu bethau fydda' i'n eu gweld neu eu clywed. Ambell waith, bydd y syniad yn eistedd yn y llyfr am hydoedd, neu'n peidio cael ei ddefnyddio byth; ambell waith fydd y syniad ddim yn cyrraedd y llyfr ond yn mynd yn syth ar bapur.

Yn aml iawn bydda' i'n clywed pethau mae pobl yn eu dweud ac yn clywed barddoniaeth yn yr hyn maen nhw newydd ei ddweud ac mi fydda' i'n dwyn eu geiriau nhw heb iddyn nhw wybod! Neu fe fydda' i'n gweld rhywbeth rwy'n credu y bydd yn edrych yn dda mewn geiriau – defnyddio geiriau i greu darlun.

Rwy'n ysgrifennu cerddi rhydd gan amla' ond rwy'n hoffi sŵn odl a chyflythreniad. Ambell waith, os yw syniad y gerdd yn un syml, yna mi fydd y geiriau sy'n cael eu defnyddio yn rhai syml i adlewyrchu'r syniad.

Ond y rheol euraidd yw, unwaith mae'r syniad yn cyrraedd, rhaid ei ysgrifennu lawr, neu bydd yn dianc drwy'r ffenest a byth yn dod nôl, achos rhai fel 'na yw syniadau – llithrig!

Plannu cusan

Plannwch gusan ar eich union ar dir ffrwythlon,
gwyliwch gariad yn tyfu'n goeden ir
ac arni fil o gusanau bychain yn blaguro
yn swsio'n brydferth ac yn hir.

Plannwch gusan am y cynta'
ar fochau creigiog yr Himalaya,
rhowch hapusrwydd ar siâp gwefusa'
yn nisgleirdeb glân yr eira.

Pan fo gwefusau'n cyffwrdd unwaith
daw'r newyn am wneud eilwaith
a daw rhwbio *lips* yn ddim gwaith
yn wir, mae'n ffordd dda o dreulio oriau maith.

Pan ddaw ceriwb cariad i guro
ellwch chi ddim ei anwybyddu o
gyda'i fochau pinc yn twinclo
rhaid cusanu eto ac eto.

Gair am air

blaguro
deilio, tyfu

ceriwb cariad
Eros, duw cariad yr hen Roegiaid

Cerdd ysgafn am gusanu! Yn Saesneg, mae pobl yn dweud *to plant a kiss* ac roeddwn i'n hoffi'r syniad o blannu cusan fyddai'n dwyn ffrwyth cariad yn nes ymlaen. Rwy'n hoff iawn o gusanu!

Ces syniad *really* dda am gerdd yng Nghynwyl Elfed

Fel plentyn yn chwarae pi-po â fi,
mae'r syniad yn fy synnu drwy neidio mas i ganol yr heol
yng Nghynwyl Elfed yn hy' i 'nghynhyrfu.
Sgrech teiars car ac arogl rwber fel brwmstan
yn fy nostrils
yn barod i greu damwain lenyddol yng nghefn gwlad Cymru.
Syniad *Really* Dda am Gerdd
yn fy nharo â macrall drewllyd, gwlyb yr awen yn llawen
ar draws fy ngwep yn glep.
'Hei! Ti! Syniad *Really* Dda am Gerdd ydw i!'
Ac yna mae'n dringo i ben to'r capel
jyst allan o gyrraedd fy mysedd newynog, di-awen,
crafangus –
Daro ti! Syniad *Really* Dda am Gerdd!
am ddianc i ben to
i lechu yng nghanol llechi eto.
Paid aros yno i 'nhemtio!
Diflanna i'r nos! Dos! Da ti!
Gad fi yma heb gyffwrdd yna' i!

Pa beth wyt ti, beth bynnag?
Pa fath gerdd fyddi pan gei di dy eni?

Arogl pluen yn disgyn o'r nen,
taith annisgwyl mewn car i 'nunlle,
hunlle lle mae lleianod yn llefain,
wylofain, chwerthin gwallgo' mewn chwarel wag,
mwytho sidan coban foethus, cof am rywbeth na fodolodd
erioed,
ysbryd bregus coed gofidus – y math yna o beth mae'n siŵr.

Fardd, paid byth â chysgu – rhag ofn i ti golli gem –
yr un gerdd ddisglair, wen fydd yn dy wneud di'n enwog,
dy urddo'n fardd tu hwnt i'th eiriau a'th garpiau.
Dysga neidio'n uchel, i ganol cerrynt meddal tawel yr awel
a chipio'r Syniad *Really* Dda am Gerdd bondigrybwyll oddi yno
a'i ddal yn gadarn yn dy ddwylo, a'i anwylo.

Cerdd am yr awen ac am gael a chadw syniadau am gerddi. Ces y syniad o greu person allan o'r 'syniad' yma a'i wneud fel rhyw fath o gorrach bach direidus yn chwarae mig gyda'r bardd ac yn dianc o'i afael cyn iddo fedru creu cerdd o'i gwmpas. Mae'n gerdd am yr helfa a'r ras i gydio'n gadarn mewn syniad ac ysgrifennu cerdd ar bapur cyn iddo ddiflannu.

Gair am air

bregus
brau, hawdd ei dorri

urddo
anrhydeddu, arwisgo

Anghenfil y sinc

Mae'n anghenfil mewn miliwn – yn greadur heb ei ail.
Fy nghadw i'n gaeth yn fy nghegin,
yn gwlychu ymylon yr ystafell
a'u boddi fel na fedra' i ddianc.
Mae'n taflu trochion sebon dryslyd i'n llygaid
i 'nallu
a chodi gwres y ffwrn mor uchel fel na fedra' i adael.

Rwyf i'n gaeth i'r gegin.
Mae gen i gornel gynnes i gysgu ynddi, a dyna'i gyd.
Daw yntau o'r tapiau bob dydd
yn ddiferion bychain cyson weithiau,
ambell dro'n un sgwd, yn siwrwd o gerydd,
rhuo cerrynt cynddaredd,
fydd yn troelli'n fygythiol yn y sinc
cyn diflannu'n llechwraidd lawr y twll.

Feiddia' i ddim mentro tu hwnt i drothwy'r gegin, rhag ofn.
Caf gwmni padell ffrïo boeth, ddoeth ambell waith
yn ffrwtian ffeithiau, a choelion gwrach i 'ngwyneb
am hen sosejys o'r gorffennol.
'Does unman yn saff
ond am yma.
O gwmpas y bwrdd mae 'nghydnabod i gyd;
Plât yn llawn saim ddoe a chraciau,
hen bapur newydd wedi'i anghofio â'r croesair ar ei hanner,
sanau budron, blewog yn chwilio am bartner
yn asiantaeth garu'r peiriant golchi
a fi fach unig yn gwmni i'r cyfan,
a neb, neb yn yngan gair.

Cerdd am deimlo'n gaeth i'r gegin – ai am fenyw mae hi? Ro'n i'n clywed sŵn y dŵr yn mynd lawr y plwg yn y gegin fel rhuo anghenfil ac o hynny daeth y syniad am anghenfil yn codi o'r sinc yn debyg i *genie* o botel i swyno person i aros yn y gegin er gwaetha' popeth – fel rhyw fath o Franwen fodern o Bedair Cainc y Mabinogi yn gorfod aros yn ei chegin am fod ei gŵr wedi gorchymyn iddi wneud. Ydy merched yn dal i deimlo fel hyn heddiw?

Gair am air

trochion
swigod sebon

ffwrn
popty

sgwd
rhaeadr

siwrwd
yn deilchion,
yn ddarnau mân

llechwraidd
slei

trothwy
rhiniog, stepan drws

ffrwtian
poeri wrth ffrïo

cydnabod
y rhai rwy'n eu hadnabod

Bilidowcar ar ben polyn

Yn yr un lle bob dydd, yn gwylio, yn aros ei dro,
mae'n gwylio eto ac eto,
yr un amser, yr un osgo bob tro,
gwylio'r byd yn gwibio heibio.

Postyn lamp – cangen o heddwch uwchlaw traffordd,
llif di-droi'n ôl olwyniog, troi a throi, traffig
ac mae'n esgob ar egsôsts, *egotists* ac *egomaniacs*,
goruchwyliwr pluog y tarmac.

Daw pawb dan ei adain syber,
junkies cyflymder, gyrwyr dydd Sul linc-di-lonc araf fel mul.
Mae'n gwylio'n dyner dros *women drivers, central reservation*
skivers, juggernaut johnnies a'r rhai sy'n honni medru gyrru
drwy deimlo'u ffordd.

Dim gair o'i big, ond yn blygeiniol,
mae'n eistedd fry uwchben
yn seren ddu sgleiniog mewn ffurfafen unig
ag un em o lygadwaith pefriog wedi'i thaflu'n giwt i rwydo'r
môr i'w feddiant.

Cadw oed ffyddlon uwch llinellau gwynion a lleiniau caled y
ffordd,
taro'i gylfin i fusnes pawb trwy'u winsgrîn, ogla' pysgod yn
llanw pob car,
cadw llygad morfran, cyrchu pawb i gyfeiriad cartref dan haul
gorllewinol diwetydd,
cyn hedfan yn ôl at fôr llanw a thrai, heddiw a fory.

Roeddwn i'n arfer teithio ar hyd yr M4 tuag at Abertawe o Gaerdydd bob dydd Iau ar yr un amser, a phob tro, yn ddi-ffael, ychydig y tu hwnt i Bort Talbot, ar yr un polyn lamp, byddai bilidowcar mawr yn eistedd yn sychu ei adenydd. Des i edrych ymlaen at weld yr aderyn bob tro a theimlo ei fod yno i gadw llygad ar bawb oedd yn rhuthro heibio heb i neb sylwi arno.

Gair am air

bilidowcar
aderyn: mulfran, morfran

osgo
ffordd o sefyll, ystum

plygeiniol
ben bore

ffurfafen
awyr, nen

pefriog
sgleiniog

cylfin
pig

diwetydd
diwedd y dydd

Pocedi dwfn

Rwy'n cadw fflyff yn fy mhoced
rhag ofn bydd ei angen
i lenwi twll neu agen rhywle;
crac yn ochr y byd,
llyn sy'n gollwng dros ochr dibyn
neu i stwffio i hen geg sy'n lapan lot gormod o hyd.

Rwy'n cadw fflyff yn fy mhoced
yn danwydd ymfflamychol i roced sy'n styc i'r ddaear,
fflyff ffrwydrol, gwreichionol digon i'w danfon ymhell tu hwnt i
entrychion
neu'n wallt i ddyn moel
i'w gadw'n gynnes rhag embaras oer
llygaid miniog pennau gwalltog.

Rwy'n cadw fflyff yn fy mhoced
er mwyn ei roi rhwng fy nghlustiau
pan fydd athro'n gofyn cwestiwn anodd am symiau.
A phan fydd e'n gweiddi, 'Beth sydd rhwng dy glustiau di?'
rwy'n gwenu ac ateb – 'Dim byd, syr, dim ond cynnwys fy
mhocedi!'

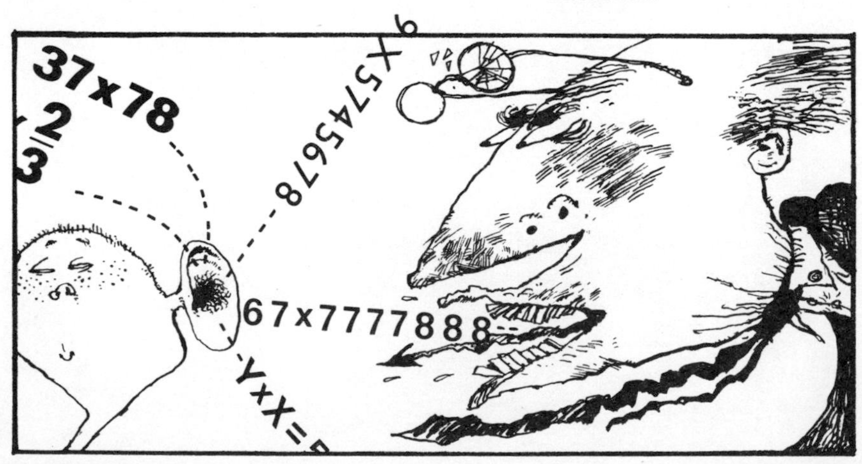

Cerdd yw hon am fachgen bach sydd â phocedi'n llawn dim byd ond ei ddychymyg. Rwy'n gwybod bod bechgyn bach yn dueddol o gario pob math o rwtsh, sy'n bwysig iawn iddyn' nhw, yn eu pocedi – rwy'n gwybod hyn am fod gen i ddau frawd, sy'n dal i gario pethau dibwys yn eu pocedi!

Rwy'n cofio 'nhad hefyd yn dweud wrtha' i, pan oedd e'n grwt, fod yn rhaid iddo gario eitemau angenrheidiol yn ei bocedi cyn mynd mas – darn o gortyn, cyllell boced, stwmpyn pensil a sgrapyn o bapur. Mae pocedi'r bachgen yn y gerdd hon yn llawn pob math o bosibiliadau ... hyd nes i'r athro ofyn cwestiwn ac i realiti gyrraedd!

Bellach, mae gen i fab bach, a'i weld e'n tyfu a roddodd y syniad am y gerdd i mi. Mae popeth mae'n ei wneud yn 'arwrol' ac yn golygu rhywbeth pwysig iddo yntau, er mai pethau bach dibwys, yn y bôn, sy'n mynd â'i fryd. Rwyf wedi dod i'r casgliad fod bechgyn yn hollol wahanol i ferched! Cyplysais hyn gyda'r cof sydd gen i o fod yn yr ysgol a gweld y bechgyn yn fy nosbarth yn breuddwydio, corddi, gweiddi, malu awyr, cael hwyl a thynnu ar ei gilydd a ni'r merched yn methu credu pa mor hy' oedden nhw! Mae'r gerdd, felly, yn deyrnged i'r holl fechgyn rwyf wedi'u hadnabod ar hyd fy oes!

Gair am air

lapan
siarad yn ddi-baid

tanwydd
deunydd sy'n llosgi a/neu'n gyrru

entrychion
uchelderau

'Sgidie chwim chwimwth

Dwi'n clymu'r careie'n dynn a chyn medri di ddweud
'Un! Dau! Tri!'
bant â fi!
Ar dân lawr y dyffryn, fel fflamia' ar y ffyrdd, mellten dros y mynydd,
ar wib, fel bwled o wn, yn gynt na'r gwynt, yn fwy chwim na chath i gythrel.

Mae'r *go faster stripes* yn gweithio'n grêt,
dwi'n hedfan ynghynt na'r tylwyth teg,
yn rhuo fel rheg o geg drwy lonydd culion,
dwi'n gyflymach na'r un enaid byw yn fy 'sgidie hud
sydd wedi'u gwneud o ddim byd mwy nag awyr a phlu.

Yn boethach na chyllell drwy fenyn,
dwi'n frenin ar ras,
yn gwibio i bob man, ffwl sbîd, yn cyrraedd cyn i mi adael
a'r 'sgidie gwych yn dynn ar fy sodle.
'Does neb i 'nghuro i,
dim Colin Jackson na Linford Christie.
Af sawl gwaith o gwmpas y byd
cyn gorffwys ar fy 'sgidie ac oeri fy modie.

Os cerddwch chi ar hyd unrhyw stryd fawr y dyddie yma, mae esgidiau rhedeg neu *trainers*, yn britho ffenestri'r siopau. Mae pob un yn addo gwell profiad rhedeg (neu gerdded!) i chi, oherwydd bod ei chynllun yn well nag unrhyw gynllun arall. Mae esgidiau rhedeg y dyddiau yma'n edrych fel creadigaethau o'r gofod! Y sodlau yn llawn aer arbennig o'r lleuad, y rwber yn gwneud i chi fownsio ar hyd y pafin fel cangarŵ ar sbrings, y defnydd yn gadael i'ch traed chi anadlu fel na wnaethon nhw anadlu o'r blaen (ond mae profi drewdod esgidiau o'r fath yn gwneud i mi amau rhywsut) ac yn y blaen, ac yn y blaen . . .

A rhaid cael y gwneuthuriad 'iawn' hefyd, rhaid i'r logo fod yn ei le! Does dim pwynt gwisgo *trainers* heb arwydd *Nike, Adidas, Puma, Reebok*, neu beth bynnag, arnyn' nhw - mae'r hysbysebion ar y teledu yn ein hargyhoeddi ni o hynny. Ac felly dyma fi'n dechrau meddwl am y siwpyr esgid yma, neu'r *über trainer* fel y byddai'r Almaenwyr yn dweud. Beth petai yna esgid y byddai pawb yn eiddigeddus ohoni oedd wir yn gwneud i chi redeg yn gyflymach na neb – ac mae pawb yn breuddwydio am fedru rhedeg fel y gwynt, neu'n gynt na'r gwynt – rhywbeth oedd yn ddelfryd ffôl i fi bob tro ro'n i'n dod yn ola' mewn ras! Byddai gwisgo'r esgidiau yma'n rhoi cyfle i chi fod yn bencampwr y byd.

Gair am air

Colin Jackson a **Linford Christie**
enwau athletwyr

Ga' i dri phwys o foron, os gwelwch yn dda?

Pan ti'n dysgu Cymraeg, mae'n bwysig adnabod dy lysiau,
ac mae gwybod y gair am 'foron' yn hanfodol,
am dy helpu i weld yn well,
i graffu'n bell tu mewn i'r treigliadau a thu hwnt i ferfau,
i beidio baglu dros gystrawennau a gwneud ffŵl o ti dy hun.
A ti'n eistedd mewn car cŵl gyda dy fêts
yn hongian allan, yn tjilio i guriad y grŵf,
yn gwrando ar dâp o frawddegau poli parot yn yr heniaith
sy'n llond ceg ond yn cynhyrfu'r gwaed a symud y traed.
Ti'n clicio bysedd i glec y Gymraeg
sy'n bigog a llyfn yr un pryd.
Mae'n dy ddenu di i lapio dy dafod o'i chwmpas
a gwneud i ti wenu.

Ambell waith mae'r llif yn rhy gryf i nofio yn ei erbyn, ddyn,
felly plymia i ganol y Gymraeg;
wedi'r cyfan, os mai hi yw'r 'du' newydd,
fyddi di fyth yn mynd allan o ffasiwn.

Welsoch chi'r hysbyseb ar y teledu? Yr un lle mae llond car o ddynion du *cool* yn eistedd yn gwrando ar dâp dysgu Cymraeg tra'n yfed poteli o ddiod meddal ('chofia' i ddim beth oedd y ddiod, ond rwy'n sicr yn cofio gweld y *boyz 'n the 'hood* yn gwneud ei *thang* gyda iaith y nefoedd!)? Waw! Bu bron i mi lewygu!!

Nawr, rwy'n gwybod mai tynnu coes oedd pwynt yr hysbyseb, hynny yw, dangos dynion *cool* yn gwneud rhywbeth sy'n cael ei weld yn hollol *uncool* am eu bod nhw'n yfed y ddiod yma . . . OND . . . mae'r genedl Gymreig wedi gwirioni arni! Achos rydyn ni wedi gwybod erioed fod y Gymraeg yn *cool*.

Gwnaeth yr hysbyseb hon wneud i mi ddechrau meddwl am yr holl blant sy'n mynd i ysgolion Cymraeg, neu'n dysgu Cymraeg, ac sydd efallai'n meddwl bod yr iaith Gymraeg yn iaith ddiflas ac yn iaith pethau sy'n amherthnasol iddyn' nhw - y rhai sy'n meddwl mai drwy'r Saesneg yn unig mae mynegi popeth sy'n cyfri' ac mi ysgrifennais y gerdd hon am fy mod i'n sicr fod bywyd ar ôl yn yr heniaith eto, a'i bod yn iaith berthnasol i ni gyd o hyd. Ry'n ni mor lwcus o fedru siarad iaith unigryw na fydd byth yn mynd allan o ffasiwn. Mi fedrwn ni i gyd siarad y Gymraeg *with attitude*!

Gair am air

craffu
edrych yn ofalus

'du'
roc-a-rôl, tuedd/ffasiwn

Gwallt

Rhyw ddiwrnod, fachgen, gwnei golli dy wallt a pharchuso,
ond ddim heno.
Mae dy fop tywyll di'n rhy wyllt i'w reoli,
yn fôr o fywyd
a choron ar dy ieuenctid.
A thra bo gen ti don ar ôl ton o flew hirion am dy ben
gwna bethau gwirion
cyn i ti golli arni, da ti.

Sglefria i lawr mynydd jeli,
gwisga snorcel i'r gwely,
cymra wersi canu gyda Pavarotti
a phaid anghofio'r ci i udo deuawd 'da ti.

Saf ar dy ben mewn siop hetiau
a mynnu sombrero i bob troed yn lle esgidiau,
yf dy goffi'n borffor a chryf
cadw lun yn dy boced o dy hoff bryf (a'i enwi).

Rho dro ar yrru modur anweledig drwy lolfa dy fam bob dydd Sadwrn,
cychwynna syrcas anhygoel ar dy arddwrn,
cymer gnoiad o frechdan pawb wrth fynd heibio
a bydd yn lama yn amlach na pheidio.

Paid anghofio'r holl hyn wrth i ti heneiddio
a'r gwallt ar dy ben ddechrau teneuo,
paid gadael i'r moelni ar dy gopa dy ddallu di,
arhosa'n ifanc cyn hired ag y medri.

Ddim yn hir yn ôl, mi wnes i briodi, ac mae fy ngŵr i'n foel – o ran hynny, mae fy nhad i'n foel hefyd, a 'nhaid, a mrawd-yng-nghyfraith a 'nhad-yng-nghyfraith, a'i gefnder yntau, a'i . . . Ydych chi'n gweld patrwm yn ymddangos?

Mae fy ngŵr yn sôn yn aml am ei anturiaethau gwyllt a gwallgo' pan oedd e'n ifanc ac yn berchen ar lond pen o wallt. Mae ganddo hiraeth mawr ar ôl ei wallt ac yn dweud y byddai'n gwneud unrhyw beth i gael ei wallt yn ôl. (Wn I ddim pa mor bell y byddai e'n mynd ychwaith, gwell peidio gofyn.) Iddo yntau, mae gwallt yn gyfystyr â ieuenctid – a dyw e ddim mor hen â hynny, 'chwaith!

Mae gen i fab bach nawr, sydd â llond pen o wallt melyn . . . ar hyn o bryd! Mi ddechreues i feddwl am beth fydd gan y dyfodol iddo yntau – a fydd yn colli'i wallt? Ar hyn o bryd mae'n llawn hwyl a miri ac mae ganddo ddalen lân i sgrifennu arni o ran ei brofiadau. Yn y gerdd, gwnes ddefnyddio fy nychymyg a rhoi'r profiadau mwyaf gwallgo' y medrwn i lawr ar bapur yn fath o ganllaw ar ei gyfer e', ac unrhyw un arall sy'n ifanc ar hyn o bryd, i gydio mewn bywyd a'i fyw i'r eithaf, achos dim ond un cyfle gawn ni.

Gair am air

sglefria
llithra

Pavarotti
canwr opera enwog o'r Eidal

E-bost gwirion bost

Neges newydd.
At: Pwy bynnag sy'n darllen hwn.
Pwnc: Pwy ŵyr?
Clic.
Annwyl gyfaill, rwy'n dy ddychmygu di
er nad ydym wedi cwrdd
ac na fyddwn byth yn cyffwrdd
ond drwy fysedd main y we.
Rwyt ti'n eistedd o flaen dy gyfrifiadur
ar garped glaswellt
yn anwybyddu'r awyr agored
mewn cae pell i ffwrdd yn rhywle.
Rwyt ti'n crafu dy allweddell mewn penbleth,
wrth ystyried beth i'w deipio nesa' –

bysedd chwim sy'n gwneud y meddwl cymhleth drosot ti.
Ti ddim wedi agor dy geg i yngan gair â neb
ers blwyddyn a mwy,
ti'n cyfathrebu drwy dap-tap llythrennau sgwâr
a chadw bywyd go iawn hyd braich – aeth sgwrsio'n faich.
Os wyt ti'n derbyn y neges hon – paid â'i dileu;
gad dy gyfrifiadur
a thyrd i chwilio amdana' i.
Rwy'n disgwyl yma amdanat ti.
Clic.
Danfon nawr.

Faint ohonon ni sy'n defnyddio cyfrifiaduron? Bron bob un ohonom ni, mae'n siŵr. Bellach, mae blynyddoedd yn medru mynd heibio lle nad wy'n siarad â phobl ar y ffôn, neu'n trefnu cwrdd â phobl am ei bod hi'n haws tap-tapio neges frysiog ar e-bost. Ac rwy'n colli'r cysylltiad wyneb yn wyneb yna, er mod i'n ysgrifennu llwyth o negeseuon cyfrifiadurol at bobl o hyd ac o hyd.

Wrth gwrs, mae'r We ac e-bost yn bethau gwych hefyd; rwy'n gwybod am fam-gu a thad-cu sy'n byw yng Nghymru lwyddodd i gael llun o'u hwyr cyntaf-anedig ar eu silff ben tân gwta ddeuddeg awr wedi iddo gael ei eni . . . yn Hong Kong! Diolch i'r We.

Mae'n rhaid fy mod i'n hen ffasiwn, ond rwy'n teimlo bod pobl yn colli'r elfen ddynol o gyfathrebu, y sgwrsio sy'n medru bod mor bleserus o felys. Felly, dychmygais gerdd am y person yma (dyn neu fenyw) nad yw'n cyfathrebu ag unrhyw un ond drwy'r cyfrifiadur, ac wedi colli'i lais i bob pwrpas. Mae'n eistedd mewn cae yn rhywle pell, pell i ffwrdd yn gweithio ar gyfrifiadur yn yr awyr agored – wrth gwrs, dyw hi byth yn bwrw glaw yno, neu fe fyddai'r cyfrifiadur yn rhwym o gael ei ddistrywio – galla'i weld y person gyda llygad fy nychymyg nawr.

Mae'n gerdd sy'n dweud y bydd yr angen am gyffyrddiad dynol a chyswllt uniongyrchol rhwng pobl yn dal i fodoli, er gwaetha datblygiad chwim technoleg. Dyna 'ngobaith, beth bynnag.

Gair am air

yngan
dweud, llefaru

cyfathrebu
cysylltu

Hylabalw'r lliw pinc

Mae'r syniad yn gwneud i mi wrido fel machlud –
gwisgo pinc a minnau'n un o'r hogia'!
Mam wnaeth brynu crys pinc slinci i mi,
'does bosib' 'mod i fod i wisgo hwnna!
Mi fydd hi'n gwneud i mi wisgo ffrogia' nesa'!

Ond wedi oeri fy nhymer a meddwl am y peth yn nhawelwch
fy 'stafell,
'dyw lliw ddim am newid yr un smic ohona' i,
fydd gwisgo pinc nag unrhyw liw arall o waith yr enfys
ddim yn fy ngwneud i'n llai o pwy ydw i,
yn rhywun arall, mwy cenfigennus, llai hyderus.

Gwisgaf binc â balchder nawr, yn gawr,
A dweud y gwir, rwy'n hoff iawn ohono,
yn gwisgo pinc yn hapus, yn fwy na pharod i ym-bincio
ac wele! rwy'n gwneud i'r merched wincio!

Pam mae merched yn gwisgo pinc a bechgyn yn gwisgo glas? Pam?! Wrth gwrs, mae gan ferched yr 'hawl' i wisgo glas hefyd – sy' ddim yn deg yn fy marn i! Dyma fi'n ysgrifennu cerdd sy'n hawlio'r lliw pinc dros fechgyn hefyd!

Yn y gerdd, dwi'n ceisio torri dipyn ar y stereoteipio sy'n digwydd o oedran cynnar i ferched a bechgyn a'r disgwyliad o sut maen nhw fod i ymddwyn a beth sy'n dderbyniol iddyn' nhw ei wneud. (Mae bechgyn i fod yn dreisgar, di-hid a *macho* tra bo merched i fod yn feddal, yn cael eu dysgu i ofalu am bobl ac i hoffi dillad, colur a gwalltiau – pam nad yw bechgyn a merched yn cael eu dysgu i wneud tipyn o'r ddau?)

A chyn i chi feddwl mai dweud, pregethu a choethan yn unig rydw i – mae fy mab i'n gwisgo dillad pinc ambell dro, ac yn mwynhau hefyd!

Gair am air

gwrido
cochi

Pwy? Ble? Pryd? Pam? Sut?

Tref Llanrwst, ar lan afon Conwy yn un o'r dyffrynnoedd harddaf yng Nghymru, ydy fy nhref enedigol, ac erbyn hyn, rydw i'n byw mewn hen ffermdy yn ardal wledig Llwyndyrys, ger Pwllheli. Byddaf yn teithio i'r gweithdy yn Llanrwst drwy galon Eryri rai dyddiau bob wythnos a heb os, mae hi'n un o'r teithiau hyfrytaf y gwn i amdani.

Fel arfer, yn gynnar yn y bore y byddaf yn gwneud y daith a does neb ond y fi a'r tarth a golau bach y wawr ar y lôn. Weithiau, byddaf yn adrodd enwau'r daith wrthyf fy hun – dilyn y dŵr rai adegau gan enwi afon Erch, afon Dwyfor, afon Glaslyn, llyn Dinas, llyn Gwynant, llynnoedd Mymbyr, afon Llugwy ac afon Conwy. Dro arall, y cribau a'r mynyddoedd fydd yn cadw cwmni imi. Un peth sy'n siŵr – dydy'r daith fyth yr un fath. Mae hi'n newid o dymor i dymor, ond hefyd o ddiwrnod i ddiwrnod. Wrth sylwi ar bethau bach, mae rhywun yn gweld rhywbeth newydd o hyd. Y lle hwn, yr amser hwn – rwy'n credu bod hynny'n bwysig iawn mewn ysgrifennu o bob math, ond yn arbennig felly wrth sgwennu barddoniaeth.

Mae crwydro – yn gerdded mynyddoedd, cerdded glannau môr Llŷn, teithio yn ôl ac ymlaen, i fyny ac i lawr Cymru ac ymweld â gwledydd tramor – yn bleser bob amser. Mae crwydro yn bwysig imi wrth sgwennu hefyd – rwy'n sgwennu mewn sawl ffurf, sawl arddull ac mae'r amrywiaeth yn ychwanegu at y mwynhad.

Roedd Mam yn cadw siop lyfrau Cymraeg yn Llanrwst a gan mai mewn tŷ yn sownd wrth y siop y cefais fy magu nes oeddwn yn bedair ar ddeg oed, mae gafael mewn cyfrol a'i darllen wedi bod yn rhan naturiol o 'mywyd erioed. Mae drysau'r dychymyg yn agor wrth agor llyfr ac mae geiriau yn medru fy nghario i fyd arall. Straeon cyffrous T. Llew Jones a hanesion Cymru yn

Ein Hen, Hen Hanes gan Ambrose Bebb, oedd fy ffefrynnau'n fychan.

Eto, cyn dyddiau darllen, mae gen i gof ifanc iawn am straeon yn cael eu hadrodd yn ein tŷ ni. Mae'n rhaid nad oeddwn i ddim ond rhyw bedair neu bump oed ond fy arwr bryd hynny oedd Cymro'r ci defaid Cymreig. Creadur yn nychymyg fy nhad oedd hwnnw – roeddan ni'n byw ar balmant tref ac felly fyddai hi ddim yn deg cadw ci anwes acw. Ond pan adroddai Dad straeon am y ci defaid yn achub plentyn o'r afon, yn amddiffyn oen rhag llwynog ac yn dal lladron, roedd yn union fel pe bai'r ci yn fyw. A hynny â ninnau mewn cadair freichiau o flaen y tân! Chafodd y straeon hynny erioed eu rhoi ar bapur hyd y gwn i – rwy'n amau erbyn hyn fod Dad yn eu creu nhw wrth fynd yn ei flaen i gadw'r hogyn bach plagus yn dawel. Eto, gallaf dystio i bŵer stori ac i'r grym sydd mewn geiriau llafar.

Y llyfr a'r llafar – mae'r ddau'n perthyn yn agos at farddoniaeth. Mewn cerddi, mae'r bardd weithiau yn ceisio creu effaith a chreu ei fyd hudol ei hun yn codi o bethau bach bob dydd sydd o'i gwmpas. Mae'r geiriau'n cydio'n ei gilydd mewn ffordd sy'n cydio yn y cof yn ogystal. Wrth dyfu, daeth barddoniaeth yn fwy o ffefryn gen i ac yn fuan iawn, roeddwn yn cael fy hun yn ceisio dynwared y cerddi oedd yn fy mhlesio fwyaf.

Derbyniais swydd Bardd Plant Cymru yn y flwyddyn 2000 ac mae cyfansoddi i blant a gweithio gyda dosbarthiadau ifanc yn rhoi llawer o gyffro imi. Rwyf hefyd wedi cyfansoddi nifer o eiriau ar gyfer caneuon a phan oeddwn yn hogyn yn Ysgol Dyffryn Conwy dysgais y cynganeddion gan ennill cadair yr Urdd. Mae'r gynghanedd, a mesurau fel yr englyn a'r cywydd, yn unigryw i'r Gymraeg ac mae'n rhoi gwefr arbennig i mi fedru bod yn rhan o draddodiad sy'n ymestyn yn ôl i'r hen Geltiaid. Mae'r traddodiad hwnnw'n un llafar – hynny yw, mae rhannu cerddi â chynulleidfa fyw yn hanfodol iddo. Dyna sy'n rhoi'r pleser mwyaf i minnau hefyd – mae'r sgwennu yn medru bod yn waith unig weithiau, ond mae cyflwyno barddoniaeth mewn dosbarth, mewn Pabell Lên neu o flaen criw mewn tafarn yn brofiad braf iawn.

Mae perthyn i dîm o sgwenwyr yn rhan o'r traddodiad Cymraeg hefyd – tîm yn ymryson mewn eisteddfod neu noson leol. Mae'r cwmni'n bleser ac yn hwyl. Mae sgwennu'n gymdeithasol iawn ar adegau felly, neu wrth gydweithio â chriw o feirdd i greu sioe arbennig a mynd â hi ar daith o amgylch Cymru.

Wrth weithio gyda beirdd eraill, yr hyn sy'n eich taro yw bod *dewis* yn beth pwysig wrth greu cerdd. Pan fydd mwy nag un yn taflu syniadau am eiriau ar draws ei gilydd, mae sawl llwybr yn ei gynnig ei hun. Weithiau, mwy nag un gair sy'n cynnig yr un math o sŵn; dro arall mwy nag un ffordd, neu fwy nag un llun, sy'n dweud yr un peth. Ar ôl hel y posibiliadau, mae'n rhaid dethol a dewis. Mae honno'n broses bwysig sydd angen gofal mawr – wrth weithio fel aelod o dîm neu wrth weithio ar fy mhen fy hun.

Fel llawer o feirdd Cymraeg, mae sgwennu i bobl yn rhan o'm swyddogaeth wrth farddoni. Penillion priodas, cywydd cyfarch, englynion coffa – dyna'r math o draddodiad rwyf yn rhan ohono. Erbyn hyn, mae'r themâu wedi tyfu ac amrywio ond mae pobl a chymdeithas yn dal yn amlwg yn y cerddi o hyd.

Bydd llawer o'r syniadau'n cael eu codi wrth wrando ac wrth sylwi ar bethau bob dydd o 'nghwmpas – geiriau plant, sgyrsiau mewn caffi, sloganau hysbysebion. Mae chwarae â geiriau yn rhan o'r hwyl. Y bwriad wrth sgwennu yw denu'r darllenwyr i brofi peth o'r hwyl hwnnw hefyd ac i gyflwyno ambell lun mewn ffordd gofiadwy.

Na ladd dy dad gyda darn o dost

Ni fuom yn arsenal Gŵyl y Geni
i brynu tangnefedd mewn tanc eleni.

Efallai mai gêm yw'r saethu a'r cyrcydu
ond 'dyw arfau plant byth yn rhydu.

Drwy'r simnai acw, daeth tractor a digar
a thrugareddau heb fwled na thrigar,

ond mae calon Siôn Corn wedi'i gwneud o lastig
nes troi y dre yn Balesteina blastig.

Ac i wynfyd wadin ein tost a marmalêd,
mi laniodd y byd un bore, fel grenêd.

Mae dannedd deunaw mis yn gadael crystyn
a chaeodd llaw bitw amdano, gan fystyn

ei fraich ac anelu . . . tanio 'Bang!' gyda gwên,
ei lygaid yn ifanc, ond ei ddwrn yn hen.

Mewn te parti Nadolig Ysgol Sul unwaith, gwelais blant yn dadbacio reiffls a syb-mashîn gyns ymysg yr anrhegion roedd y Siôn Corn hwnnw yn eu rhannu. Ychydig ynghynt roeddent yn sôn am 'ewyllys da' rhwng dynion a 'thangnefedd' ar y ddaear. Mae gweld plant yn chwarae â gynau yn gyrru rhyw ias trwof – eto, rwy'n sylweddoli mai dim ond dynwared oedolion ar eu gwaethaf y maen nhw. Mae'n anodd osgoi trais – mae'n rhan mor ganolog o'n newyddion a'n hadloniant. Daeth hyn adref mewn ffordd ddramatig pan welais un o'r meibion – nad oedd ond deunaw mis oed a heb fawr o ddannedd – yn codi crystyn tost a'i ddal fel gwn yn ei ddwrn, ac anelu ataf ar draws y bwrdd brecwast.

Gair am air

cyrcydu
plygu i lawr ac eistedd ar dy sodlau

digar
peiriant cloddio – JCB ac ati

Palesteina
mae terfysg a thrais parhaus yno wrth i genedl y Palesteiniaid geisio sicrhau ei hawliau ochr yn ochr â chenedl Israel.

Byrger brên

'Marchnatwyr!
Maen nhw'n meddwl,' meddai Dad,
'y medran nhw farchnata pob dim heddiw.
Digon o ddweud yr un dweud
ac mae'r job wedi'i gwneud.'

'Maen NHW'n meddwl,' meddai Dad,
'mai NHW piau'n meddyliau
am mai NHW sy'n prynu'r eiliadau ar y teledu,
ac yn meddiannu'r waliau gyda'u posteri
ac yn stwffio i mewn i'n siopau gyda'u bargeinion.
Dyna be maen NHW'n ei feddwl.'

Ac yna, un noson o Ionawr,
ar droad canrif,
ar sbin y mileniwm,
dyma wisgiwr hysbysebion
yn sgramblo ein brêns gyda'i neges:

'SÊL YN Y BYRGER BAR;
Chwarter pwysan
am bris bynsan.'

Wyt Ionawr yn dlawd a'th bocedi yn dynn
A fawr neb yn gwario ar y stryd erbyn hyn,
Mae'r siopau yn dawel, dim arian ar ôl
A'r stondin biffbyrgers ar ei phen-ôl . . .

'Sut beth yw sêl byrgers ys gwn i?'
meddyliais yn dawel wrthyf fy hun.
'Letys o'r ganrif o'r blaen?
Gwagio'r rhewgell i'r gwaelod
- a chael gwared ar y briwgig mamoth?
Sleisen o gaws Rhufeinig?

Bara wedi para ac yma o hyd
yn sych fel polisteirin, yn gardbord i gyd?
"Gallwch archebu un ar y We
- caniatewch ddau fis ar gyfer postio, O Ce?" '

Ond o'r gadair yn y gornel,
dyma Dad yn dweud yn uchel:
'Mmmm! Mae hwnnw'n swnio'n dda.
Beth amdani ar ôl y gêm ddydd Sadwrn?'

Ionawr 2000 oedd hi ac roeddwn i newydd ddioddef misoedd o hysbysebion Nadoligaidd. Yna, fel arfer, ar ddiwrnod Nadolig, daeth ton o hysbysebion newydd – wyau Pasg a gwyliau haf. Ydyn nhw'n credu ein bod ni'n credu'r holl sothach rydyn ni'n ei weld ar yr hysbysebion? Eto, mae'n rhaid bod rhywun yn rhywle'n llyncu'r cyfan . . . Ond, yn ystod yr Ionawr hwnnw, cefais deimlad sinigaidd iawn pan welais gadwyn o siopau byrgers yn hysbysebu'u harwerthiant. Beth oedd hynny? Clirio hen stoc? Gwell cadw'n glir - ac eto . . .

Gair am air

ar sbin
ar droad; hefyd yn golygu rhoi ongl arbennig wrth greu cyhoeddusrwydd.

Noson loerig gyda Taid

Cartwnau sy' gen i eisiau,
chwaraeon, gemau, ffilmiau.
Pam arall gosod bowlen
i dderbyn teledu lloeren?
Y fath ddewis! Ond be' 'di'r iws?
Mae Taid yn lloerig am 'Niws'.

Mae'n galw Sky yn 'T.V.',
galw'i soffa'n 'sytî'
a phan fydd angen y rimôt,
heb drafferthu gofyn fôt,
bydd yn estyn y teclyn o'i boced –
– 'Be' sy' ar y "Niws" yma tybed?'

Ar ôl y bwletin mawr
bob tro mae hi'n taro'r awr,
bydd eto un neu ddau
o benawdau, cyn i'w lygaid gau,
gan fy ngadael innau fel lemon
yn clywed yr un un straeon
yn gymysg â'i chwyrnu cyson
wrth deithio o blaned i blaned
– gyda'i rimôt yn saff yn ei boced.

Taid, wrth gwrs, sydd piau
y soffa, y lloeren, y gwifrau,
y digi-bocs, y soced
(a'r rimôt yn seler ei boced)
ond tra bod ef ar ei daith
ym mhellter y gofod maith,
pwy all weld unrhyw fai
arnaf innau am drip bach ar Sky?

Ond mae fel tae'n medru clywed
fy meddwl yn mynd am ei boced,
bydd yn neidio – a does dim iws
– 'Beidio bod hi'n amser y Niws?'

Tro nesa' af i heibio, dwi am holi:
'Taid, be' am gêm o Monopoli?'

Gyda chymaint o ddewis o raglenni ar y teledu bellach, byddai rhywun yn meddwl y byddai pawb yn hapus. Ond nid dyna'r gwir, wrth gwrs. Mae gan bawb bellach ei hoff sianel a gallwch fwynhau'r un math o adloniant awr ar ôl awr – cyn belled â bod y rimôt yn eich llaw! Mae'r dewis yn gallu creu anghytuno – ond eto, mae digon o fathau eraill o adloniant all ddod â'r teulu at ei gilydd i gael mwynhad hefyd. Efallai bod rhaid dewis gwneud heb y dewis weithiau.

Glanyfferi

Glas y bore 'Nglanyfferi'n
Cyffwrdd tywod aber Tywi
A chyn i'r niwl o'r tonnau ddianc,
Gwelais hi yn groten ifanc
        Yn haul yr haf yng Nglanyfferi.

Yma 'dôi hi'n ôl yr hanes
Am yr hwyl a'r cwmni cynnes,
Pnawn i ffwrdd o'r caeau melyn
I gicio'i sodlau wrth yr ewyn
        Yn haul yr haf yng Nglanyfferi.

Dal y trên ym Mhantyffynnon
Tynnu coes a chodi calon,
Bois glo caled mewn hwyl canu,
Bois o'r wlad ddim ond yn gwenu,
        Ar y ffordd i Lanyfferi.

Pawb i lawr ar lannau Tywi,
Mewn i'r caban, dishgled handi
Nes daw sŵn cadwynau'n winsho,
Lleisiau bois y cwch yn cario
        Wrth nesáu at Lanyfferi.

Awn ni dros yr afon sidan
Dros y dŵr i draeth Llansteffan?
Lan i'r castell ar y tyle?
Trochi'n traed cyn troi am adre,
        Croesi'n ôl i Lanyfferi?

Lawer haf yn ôl oedd hynny:
Wel'di ben y winsh yn rhydu?
Adar môr sy'n galw enwau:
Ambell un yn brifo weithiau
        Yng nglas y bore 'Nglanyfferi.

Does dim lleisiau heddiw'n nesu,
Sŵn cael amser da – gan synnu
Sut oedd amser wedi hedfan
Yntau'r hwyr yn dod mor fuan
'Slawer haf yng Nglanyfferi.

Pentref bychan ar aber afon Tywi yw Glanyfferi ac roeddwn yn mynd yno i gyfarfod criw o athrawon un diwrnod. Mae fy nheulu ar ochr fy mam yn hannu o ddyffryn Aman a dyma ddigwydd sôn am y peth. Cael ar ddeall wedyn fod fy mam-gu yn arfer mynd i Lanyfferi ar y trên pan oedd yn ifanc – yno y byddai pobl ifanc dyffryn Aman a Chwm Gwendraeth yn cyfarfod yn nauddegau'r ganrif ddiwethaf, yn crynhoi ar sgwâr y pentref neu weithiau'n mynd am dro ar y fferi 'dros y dŵr i draeth Llansteffan', fel y dywed yr hen gân. Mae'n hawdd anghofio bod hen bobl wedi bod yn ifanc hefyd a phan gyrhaeddais yno'r bore hwnnw, es i am dro at lan yr afon, heibio i'r sgwâr a'i dafarnau a'i gaban paned ac edrych ar y winsh a'r gêr rhydlyd. Dyna'r cyfan oedd ar ôl o gyfnod y fferi bellach, eto gallwn ddychmygu'r lle yn llawn bwrlwm pobl ifanc yr ardal.

Gair am air

caeau melyn
Cae Melyn oedd enw'r tyddyn lle'r oedd Mam-gu'n byw

dishgled
paned

tyle
bryn

'slawer
ers llawer

Englynion

Hwligan pêl-droed

Mae'r Iwnion Jac yn gacen – o wenwyn
Ar fy wyneb bricsen,
Ac oni byddwn ni'n ben
Cei hi'n dolc yn dy dalcen.

Parc y Mileniwm

(Mae gerddi a llynnoedd bellach lle bu hen weithfeydd glo a haearn Llanelli – ond mae rhyw lysnafedd ar wyneb y dŵr.)

Mae elyrch a blodau melyn – yn well
Na'r pyllau o dipyn,
Ond metel yr hen elyn
Biau lliw wyneb y llyn.

Medi 11eg, 2001

Yn unfarn ar y lladd ynfyd - yn un
Ein hochenaid enbyd,
Awn ninnau o un ennyd
O Fedi i fedi'r holl fyd.

Mesur byr unigryw i'r Gymraeg yw'r englyn ac mae'n ddefnyddiol ar gyfer amrywiaeth mawr o destunau.

Gŵyl banc olaf yr haf

Y mae hi'n bwrw glaw, wrth gwrs, ac aeth
Y bore i hel ein traed a rhyw din-droi,
Ond mae hi'n ddiwedd haf, yn ta-ta traeth
A'r ŵyl banc nesaf ydi'r Dolig! Ffoi
Sydd raid am gestyll, trenau bach, y sgod
A'r sglods, y *Shetland Pony Rides*, da-da,
Y cerdded prom yng nghwmni pethau od
A'r ciwio wrth y ciosg hufen iâ.
Fy chwaer sy'n colli'i chornet hi ar lawr;
Mae'r babi'n crio; ffrae gaiff Dad a Mam;
Mae'r *chips* yn oer, y trên yn artaith mawr
A'r *Pony Rides* yn con. Mewn traffig jam
'Ffordd nôl, dwi'n chwydu 'mol dros yr estêt.
Ysgol a gwaith yfory. Fflipin grêt!

Mae Gwyliau Banc yn wyliau gorfodol i bron bob un ohonom. Gan eu bod yn wyliau gorfodol nid ydym bob amser yn gwbl hapus ynglŷn â nhw. Ar adegau gallant fod yn ddiflastod. Mae 'na ddisgwyl i ni ddilyn y dorf i wneud y pethau traddodiadol â gysylltir â thripiau diwrnod Gwyliau Banc. Rhyddid y diwrnod yn troi'n garchar sydd y tu ôl i'r soned hon.

Gair am air

sgod a sglods
fish a chips

da-da
losin, melysion

artaith
dioddefaint, blinder, poen

Sut i ymddwyn mewn castell

Paid ag ofni'r adlais wrth gyrraedd castell
Paid â chrynu'n y cysgod o dan y tŵr;
Paid â cholli dy lais wrth weld ôl y bicell
Na chilio'n dy gwman rhag y ffenestri hir;
Nid ar flaenau dy draed y mae cerdded hanes,
Nid â llygaid llo bach y mae edrych yn ôl;
Paid â sibrwd na chuddio tu ôl dy lawes
Na theimlo'n benysgafn ar y grisiau cul.
Na! Dan gadw reiat y croeswn ffosydd,
Dan chwibanu yr awn i mewn drwy'r porth,
Drwy weiddi sloganau anaddas i fynwentydd
Mae dringo a chyrraedd crib y cadernid serth
Heddiw sy'n martsio i mewn i'r oes o'r blaen
I daflu cip dros ysgwydd cyn cerdded ymlaen.

Wrth geisio dysgu am y gorffennol, mae'n bwysig ein bod ni yn ceisio gweld hanes 'yn dod yn fyw'. Eto, yr un pryd, mae'n rhaid i ni sylweddoli mai rhywbeth sy'n perthyn i 'amser maith yn ôl' ydy nerth y brenhinoedd a phŵer y byddinoedd y dysgwn amdanynt wrth astudio hanes. Mynwentydd yw'r cestyll heddiw – mae'r ofn a'r dychryn a'r trais oedd yn arfer perthyn iddyn nhw wedi marw. Ond rydyn ni yma o hyd! Wrth edrych yn ôl, dylai roi hyder i ni ar gyfer y dyfodol.

Gair am air

adlais
eco

picell
gwaywffon

yn dy gwman
gan blygu dy gefn; yn dy blyg

Pam fod adar yn canu?

(i Mei Mac, wrth gael ei benodi'n Fardd Plant Cymru 2001)

Am fod croeso i'r wawr
wedi i'r nos ein gwahanu,
Am fod cariad o hyd
eisiau'i ddiddanu,
Am fod eiliadau tawel
ar ôl y taranu,
Am fod cyfrinachau
o hyd i'w cusanu,
Am fod Mawrth a Mai
yn dal i syfrdanu,
Ac am fod y bore i'w rannu
y mae adar yn canu.

Wrth ymweld â gwahanol ysgolion, un o hoff gwestiynau'r disgyblion yw 'Pam rydych chi'n sgwennu barddoniaeth?' Mae hwnnw mor anodd ac mor hawdd i'w ateb â'r cwestiwn sy'n deitl i'r gerdd hon.

Dwi am fod yn fardd

Dwi am ddal gwiwerod yn yr hen gyll
a'u gollwng ar drapîs yn y Babell Lên;

Dwi am sgota'r pyllau gydag enfys
a cheisio dal cynffonnau dan y cerrig,
rhoi lluniau ar y dŵr llonydd;

Dwi am hel sbrings o ffynhonnau dwfn,
eu blastio, a'u powltio
o dan hen geir, hen eiriau;

Dwi am hympio amps,
mynd ag englynion ar dramps,
cadw cwmni drwg drwy'r oriau mân:
awen, cynghanedd, cân;

Dwi am ofyn am oriad y drws
a chynnal parti llawn duwiesau tlws,
bod yn afradlon, er gwybod yn well,
a ffonio'n hwyr o'r llefydd pell;
Dwi am fod yn un o feirdd fy ngwlad . . .

Ond be ddwedith Mam a Dad?

Wrth deithio o gwmpas Cymru a chyfarfod â chriwiau o wahanol ysgolion, byddwn yn cael sesiwn o gwestiwn ac ateb ambell waith. Bydd rhai cwestiynau yn rhai diddorol iawn fel 'Wyt ti'n filionêr?' neu 'Fyddi di'n gwenu wrth sgwennu?' Un tro, y cwestiwn gefais i oedd 'Beth ddwedodd dy fam a dy dad pan est ti adref a dweud dy fod ti'n mynd i fod yn fardd?' Wel, mi wenais yn siŵr ar ôl clywed y cwestiwn hwnnw! Mae'n rhaid bod 'mynd i fod yn fardd' yn beth OFNADWY! Dyma geisio rhoi ychydig o'r hwyl a'r sbort sydd ynghlwm wrth fod yn fardd yng Nghymru heddiw mewn cerdd.

Gair am air

y Babell Lên
pabell i bawb sydd
â diddordeb mewn
barddoniaeth a rhyddiaith i
gyfarfod ynddi a chynnal
sesiynnau (difyr gobeithio)
ar Faes yr Eisteddfod
Genedlaethol

hympio amps
wrth deithio Cymru, bydd
rhaid dadlwytho a llwytho
system sain – gosod meics,
weirio amps ac ati

goriad y drws
yn ddeunaw oed, bydd llun
allwedd, neu oriad, ar
y cardiau dathlu
yn aml – symbol o
dyfu i fyny, cael rhyddid
gan rieni

Hawl

'Ni piau'r glesni,' medd y canghennau,
'gwlad y pelydrau uwch ein pennau.'

'Ni piau talaith y tir,'
medd y boncyffion yn orymdaith hir.

'A ni piau'r hen ffynhonnau
o'n gwerin hyd ein coronau.'

'Ni sy'n gwladychu'r ddaear,'
medd y gwreiddiau, 'pob geni, pob galar.'

'Ein teyrnas yw'r tymhorau,' medd y dail,
'dagrau a gwanwyn, bob yn ail.'

'Ond gen i mae'r lli,' medd y gaeaf,
'a'r awch at y cynhaeaf,

'ac y fi piau'r waliau newydd
ar ôl chwalu'r coed olewydd.'

Mae gweld hen goedwig yn cael ei thorri i lawr yn cyffwrdd rhywbeth ynom i gyd. Efallai bod angen ffyrdd osgoi a dinasoedd newydd arnom, ond mae angen coedwigoedd ar y ddaear hefyd. Ar y newyddion, mewn sawl rhan o'r byd, gwelwn bobl yn cael eu troi o'u tir a'u cartrefi gan bobl eraill sy'n hawlio eu gwlad iddynt eu hunain. Bryd hynny, nid yn unig bydd hen dai yn cael eu chwalu ond hefyd hen berllannau a gwinllannoedd fu'n cynnal teuluoedd ers cenedlaethau.

Gair am air

talaith
rhanbarth; darn o wlad

gwladychu
symud i rywle a byw yno, gan gymryd tir rhywun arall

Taith y bardd

Er bod gwreiddiau'r teulu yn ardal y Bermo a Chorwen, dw i wedi byw'r rhan fwyaf o'm hoes yng ngogledd-ddwyrain Cymru ac yn nhref y ffin – Wrecsam. Yn ystod fy mlynyddoedd cynnar roeddwn yn dipyn o grwydryn. Roedd fy nhad yn gweithio fel postfeistr a symudodd o Fachynlleth (lle cefais fy ngeni) i Landudno, i'r Bermo ac yna i Wrecsam yn 60au a 70au'r ugeinfed ganrif.

Wrecsam. Tref fwyaf gogledd Cymru sy'n tyfu ac yn cael ei gweddnewid yn gyflym iawn er gwell. Mae hi'n dref â lleoliad daearyddol diddorol – y pentrefi i'r gorllewin o'r dref yn fwy Cymreig fel Rhos, Ponciau a Choed-poeth, a'r ffin i'r dwyrain yn hollol Seisnig mewn mannau, gyda dinas Caer ddim ond deng milltir i lawr y draffordd. Mae'n fan canolog a gallwch fyw bywyd prysur naturiol Gymreig gan fod cymaint o weithgareddau Cymreig yn cael eu cynnal.

Mae'n fro sy'n agored i ddylanwadau o bob math fel yr oedd yng nghyfnod Morgan Llwyd (awdur Piwritanaidd, 1619-1659), ac ef a roddodd ei enw i ysgol uwchradd Gymraeg y dref – yr ysgol y cefais i'r fraint o fod yn ddisgybl ac athro ynddi. Mae'r gymdeithas yn Wrecsam yn gynnes ac agos atoch. Tyfodd o'r gymdeithas lofaol cyn i'r pyllau niferus, a gwaith dur y Brymbo, gau. Mae plant y pentrefi â stamp arbennig arnynt, ac mae pob athro sy'n dod i Ysgol Morgan Llwyd yn tystio nad oes plant cleniach mewn unrhyw ysgol. Rwyf innau wedi ysgrifennu llawer o gerddi dros y blynyddoedd yn deillio o'r byd hwn. Cefais lawer o hwyl, yn ogystal ag eiliadau dwys, efo plant agored ac ar-yr-wyneb Wrecsam. Cyffrous iawn yw cael cyfrannu at ddetholiad o farddoniaeth ar gyfer pobl ifanc fel hyn.

Dechreuais lenydda dan ddylanwad athrawon ysgol a bûm yn cystadlu mewn eisteddfodau wrth ddysgu fy nghrefft. Cyhoeddwyd fy nghyfrol gyntaf o farddoniaeth,

Tonnau, yn 1989. Rwy'n hoff o waith Gwyn Thomas a Rhydwen Williams, ac yn Saesneg, bardd o'r enw Stewart Henderson.

Rwy'n cofio astudio nofel Ffrangeg Mauriac, *Thérèse Desqueyroux*, yn y chweched dosbarth, ac iddi wneud argraff fawr arna i, fel y gwnaeth barddoniaeth R. Williams Parry a William Wordsworth ar y pryd. Fy hoff awdur Saesneg heddiw yw Willy Russell o Lerpwl. Rwyf wedi cael y fraint o'i glywed mewn sawl darlleniad, ac rwy'n credu bod ei waith yn wir berthnasol i fywydau pobl ac yn cyffwrdd â phobl, gan barhau i fod yn hynod o ddoniol a disgybledig yr un pryd. Dramâu am unigolion yn wynebu sefyllfaoedd yw gweithiau Willy Russell i gyd, a'i gymeriadau enwocaf yw Rita, Shirley Valentine a phlant *Our Day Out*. Anghofia i fyth, ychwaith, yr argraff a gafodd gweld *Blood Brothers* yn Lerpwl arna i, gyda'r diweddar Stephanie Lawrence yn chwarae rhan Mrs Johnston. Yn sgîl yr holl ymweld â theatrau Lerpwl (fel yr Everyman a'r Unity) fe welir ôl y ddinas honno ar ambell gerdd. Dinas agos-atoch ydy Lerpwl, yn debyg mewn llawer ffordd i Wrecsam, â'i chymeriad ei hunan. Ym myd y ddrama, rwy'n hoff o waith Arthur Miller, Tennessee Williams a monologau Alan Bennett, *Talking Heads* yn fwyaf arbennig.

Pan oeddwn i'n fychan roeddwn i wastad eisiau bod yn geidwad y goleudy! Rwy'n credu mai tonnau'r môr oedd yr apêl ac nid yr unigrwydd. Pan ddechreuais weithio, ar ôl graddio yn y Gymraeg a Saesneg ym Mhrifysgol Bangor, fy swydd gyntaf oedd fel cyflwynydd radio ar radio bro Wrecsam, Sain y Gororau, yn nyddiau cynnar y gwasanaeth rhwng 1983 a 1987. Mae'n anodd meddwl amdanaf fel rhyw 'Rock D.J.' chwedl Robbie Williams! Roedd hi'n swydd ddifyr iawn – yn cael cyfarfod a chyfweld nifer o bobl leol hynod, yn ogystal â'r sêr pan ddeuent i'r ardal neu i'r stiwdio. Wedyn bûm yn athro ysgol gynradd ac uwchradd am dair blynedd ar ddeg.

Mae gen i ddiddordeb mawr yn ochr ysbrydol pobl. Ar hyn o bryd rwyf newydd raddio mewn Diwinyddiaeth ym Mhrifysgol Cymru, Aberystwyth ac rwy'n bwriadu canolbwyntio yn y dyfodol agos ar gynnal gwasanaethau ledled Cymru, ysgrifennu a chynnal gweithdai llenyddol. Rwy'n awyddus iawn i chwilio am ffyrdd o wneud crefydd yn fwy perthnasol i fywydau pobl ifanc, i sicrhau bod Iesu yr unfed ganrif ar hugain yn siarad yr un iaith â ni. Rwy'n credu bod lle canolog i fyd drama yn hyn o beth. Mae'r ochr ysbrydol hon i'w gweld yn naturiol yn y cerddi, yn enwedig y rhai sy'n cyfeirio at farwolaeth rhai ifanc.

Profiadau bob dydd pobl fydda i yn ysgrifennu amdanynt, a gallant godi o brofiad uniongyrchol, neu glywed stori neu ddywediad llafar. Yn fy ngwaith rwyf wastad wedi trio bod yn 'fi fy hunan' – dyma fy stori i. Mae gan bawb ei stori ei hunan a'r hawl i'w dweud. Fel gyda phob gwaith rwyf wedi ei wneud, fy niddordeb yw cyfathrebu. Fedra i ddim dweud anwiredd mewn ysgrifennu, rwy'n gorfod dweud y gwir. Rwy'n gobeithio mai'r gonestrwydd sydd yn gwneud y gwahaniaeth yn y cerddi – a bod fy mhrofiadau i hefyd yn brofiad i bobl eraill, ac felly yn cyfathrebu neu gysylltu â nhw. Does dim yn well na cherdd sy'n cyffwrdd â rhywun a'r eiliadau o ddistawrwydd ar ddiwedd y darlleniad.

Roedd fy nhaid, John Evans, yn feistr ar y gynghanedd, ac mae gen i edmygedd mawr o'i ddawn a'i grefft yn ei awdlau, englynion a chywyddau. Mae fy marddoniaeth i yn y *vers libre* ac o bosib yn addas i fy nghefndir mewn tref fawr ar y ffin, yn enwedig o gofio natur sgwrsiol a thafodieithol rhai o'r darnau. Rwy'n ddiolchgar am bob cerdd yn ei thro – mae pob cerdd fel uned o waith. Pan gaf syniad, mae'n rhaid i mi nodi y syniad dechreuol i lawr yn syth ar bapur, waeth lle'r ydw i ar y pryd, gan ddychwelyd ato sawl tro wedyn. Newid gair efallai, neu hyd neu bwyslais brawddeg. Byddaf yn mynd â llyfryn bach yn fy mhoced bob amser. Mae rhywbeth yn fy nharo – yn fy mrifo, yn fy siomi, neu yn fy llonni a'm codi – yna, wedi i'r profiad oeri a phellhau, bydd modd tynhau a golygu y mynegiant gan chwynnu geiriau diangen. Er fy mod yn berson sy'n hoff o hiwmor, ac yn cynnwys hyn mewn rhai cerddi ac mewn rhyddiaith, mae'n syndod fel mai profiadau anodd bywyd yn aml fydd yn cyffwrdd â mi fwyaf.

Yn fy amser hamdden, rwy'n hoff iawn o fynd i'r sinema, a'r theatr, yn arbenigwr ar gaffis ym mhob rhan o Gymru a thu hwnt, ac yn hoff o gynhyrchu dramâu gyda phobl ifanc Aelwyd Bro Maelor. Rwy'n hoff iawn o fwyd Eidalaidd, a'm hoff grwpiau pop ar hyn o bryd yw Celt, Savage Garden ac o barch bythol i arddegau yn y saithdegau – Abba. Mae caneuon Emyr Huws Jones a Hefin Huws yn rhai y byddaf yn eu mwynhau, ynghyd ag artistiaid gwerin fel Siân James, Barbara Dickson a Maddy Prior. Un o'r ffilmiau gorau i mi ei gweld yn y blynyddoedd diwethaf yw *Billy Elliott* gyda Jamie Bell a Julie Walters, gyda'i neges galonogol fod modd i bawb gyrraedd eu potensial er gwaethaf anawsterau.

Eclips

Bu hi'n heulwen
a lleuad lawn arnom
a'u pelydrau'n tasgu'r sêr
i'n llygaid;
a bu adegau o hanner llewyrch,
cyfnodau llwyd
a hanner lleuad
y dyheu am gwmni'n gilydd.

Ond fuodd hi 'rioed
yn eclips o'r blaen,
yn ddiffyg ar yr haul,
erioed yn ddi-wên
a methu siarad fel hyn,
fel petaen ni erioed
wedi nabod ein gilydd,
ac erioed wedi gweld
lleuad lawn
a dawnsio sêr
yn ein llygaid.

Cerdd am gariad rhwng pobl yw hon, a cheisiaf gyfleu amrywiaeth o adegau – yr hapusrwydd ond hefyd yr achlysuron anodd rheiny pan deimlwch eich bod wedi brifo y person arall. Oriau du ac anobeithiol cyn i bethau ddod yn ôl i ffocws eto efallai. Yn ystod haf 1999 cawsom brofiad o ddisgwyl eclips go iawn, ac fe roddodd y profiad hwnnw sbardun i'r ddelwedd.

Gair am air

llewyrch
golau, goleuni

dyheu
cael awydd mawr

Gwersyll haf

Plant yn eiddgar gasglu
ar y traeth
olion ar gyfer eu *collage* heno –
Gwymon, cregyn
hyd yn oed cranc.

Hithau'n casglu
llond bag o awyr iach
fel petai ei bywyd
yn llawn diddymdra
a doedd hyd yn oed amrywiaeth y traeth
a rhyferthwy cyson y tonnau
yn methu â
bwyta i mewn i'r undonedd
swrth hwnnw.
Llond bag o wynt.

Fe ddaeth hi'n ôl yn brolio i gyd
mai llond bag o ddim oedd ganddi hi,
dim breuddwydion
i oglais ei synhwyrau,
llond gwlad o ddymuniad
i wneud dim i hwyluso'r penwythnos,
dim awydd na dim dymuniad
dim ond y brifo mawr hwn.

Wedi ymlacio drannoeth, cyn mynd adre
dychwelodd yr hen olwg ddrwgdybus
sy'n cloi pawb allan,
a'r caeadau hwylus ar ei llygaid yn dod i lawr eto.

A doedd y closio
a'r cynnydd,
yn ddim ond llond bag o wynt o'r traeth.

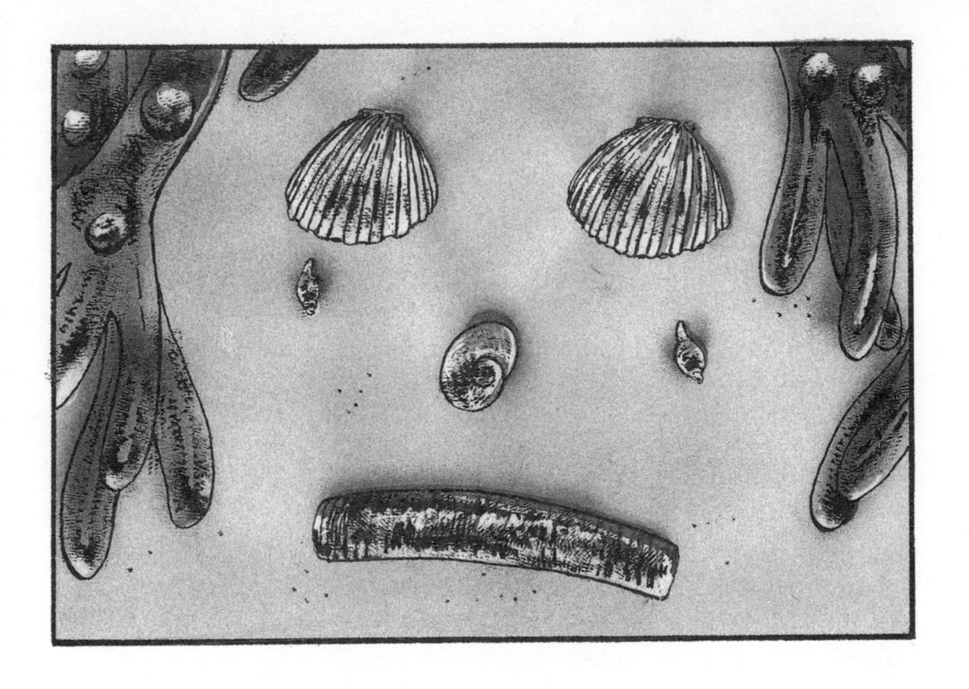

Mae'r gerdd yn ymwneud â merch oedd yn amlwg yn y criw ar wyliau pobl ifanc – yn mynd o'i ffordd i dynnu sylw. Mae'r act i gyd yn cuddio tristwch mewnol, dwfn sy'n mynnu aros ynghlo am y tro. Teimla'r oedolion rwystredigaeth o fethu â chyrraedd y person ifanc, ond hefyd gydymdeimlad mawr â hi yr un pryd.

Gair am air

diddymdra
gwacter

rhyferthwy
nerth, grym, cryfder

swrth
cysglyd

oglais
cosi, deffro

drwgdybus
amheus

Hillsborough

(Ger cofeb Anfield ddeng mlynedd i ddydd y drychineb bêl-droed)

Carped o flodau ir
a'u harogl ym mrath y nos,
y colledion yn nhrefn y wyddor
a'r fflam fytholwyrdd.

Sgarffiau Celtic ac Everton,
a Newcastle
yn blethiad ar y giatiau,
rhai lluniau a blodau
na wnânt fynd heibio,
er yn boendod i drefnwyr.

A rhwng yr holltau
fel negeseuon cudd,
cant a mil o ddymuniadau
hogiau'r tîm
ymhell ac agos,
cornel fach o galon cyfeillion o Gymru
a'u hanwyldeb
a'u diniweidrwydd yng ngwyneb angau
yn fur na ellir ei ddileu,
fel y cof.

Cofio'r dydd,
a chofio gosod blodau yno
unwaith.
A'r fflam yn dal yn gynnes,
y fflam yma'n allor.
Anwyldeb y dymuniadau
yn ymwasgu o du hwnt i bob masg
a delwedd *macho*,
gan ddisgleirio yma fel dagrau a sêr,
a pheri i'r fflam chwythu'n fwy tanbaid
yn awyr y nos,

a'r tawelwch
yn rhuban o bell
i drasiedi mor agos.

Ddydd Sadwrn, 15 Ebrill 1989, gwasgwyd 96 o gefnogwyr pêl-droed Lerpwl i farwolaeth yn y dorf ym maes pêl-droed Hillsborough, Sheffield. Astudio drama deledu Jimmy McGovern am y drychineb yn Hillsborough a'm gwnaeth yn ymwybodol fod rhai yn ninas Lerpwl yn dal i fyw y drasiedi o ddydd i ddydd. Ddeng mlynedd union i ddydd y drychineb, cefais y fraint o deithio gyda chyfeillion at y gofeb yn Anfield sydd â fflam bythol yn herio yr oerfel. Roedd hi'n werth y siwrnai i weld teyrnged hardd cynifer o bobl ifanc er cof am y rhai a gollwyd – ac yn eu plith nifer o ddreigiau coch, a sgarffiau o Gymru.

Gair am air

ir
ffres, llawn bywyd

mur
wal

dileu
cael gwared ar

macho
yn perthyn i fyd caled
dyn, gwrywaidd

Colli Dewi

(*Colli disgybl ifanc – Dewi Williams o Rhos*)
Cyflwynaf y gerdd er cof amdano

Mae pethau'n haws i'w derbyn
pan mae 'na dywydd mawr yn chwipio y tu allan,
fel petai Duw mewn cymaint cydymdeimlad
i lenwi'n meddyliau
â rhywbeth mwy na ni ein hunain.
'Mae Dewi allan o'r holl boen yna rŵan.'

Gorymdaith dawel benisel.
Aeth neb erioed i'r Gwasanaeth Ysgol ynghynt.
Dim smic ar goridorau.
Cofio'r un oedd yn rhaid iddo fynd
i flaen y ciw cinio,
yr un oedd wastad wrth y gwresogydd.
Chlywais i erioed dawelwch mor reddfol;
am unwaith
roeddwn i'n falch fod rhywun yn mentro sibrwd.
Er bod y golau trydan yn simsanu efo'r storm
rôn i'n chwilio
am yr hollt yn y ffenest
oedd yn gadael goleuni i mewn.

Gweinidog yn cynnig arweiniad,
llais y Prifathro yn feddal braf
yn siarad efo Duw fel ffrind agos,
a'r galaru torfol oedd yr unig beth
i liniaru ychydig ar y colli creulon hwn.
Yn dawel
yn y ffordd y gŵyr plant
sut i fod yn y bôn,
fel y gwyddant sut i fod yn swnllyd.

A dal i chwythu wnaeth y gwynt
y diwrnod hwnnw,
wrth i mi anwesu'r coridorau â'm llygaid.

Mae'r profiad o golli Dewi yn brofiad gwirioneddol o ddisgybl ysgol dewr yn marw'n ifanc. Darlun annwyl a gawn o Dewi, a'r modd yr ymatebodd ysgol gyfan i'w golli – pobl ifanc mor aeddfed yn eu tawelwch, a'r effaith hefyd ar y staff. Mae'r gerdd hefyd yn gofyn i ni werthfawrogi ein hieuenctid.

Gair am air

gorymdaith
prosesiwn

smic
y sŵn lleiaf un

galaru
teimlo colled

lliniaru
lleddfu, gwella'r boen
ryw ychydig

anwesu
cofleidio

Prynhawn Sadwrn

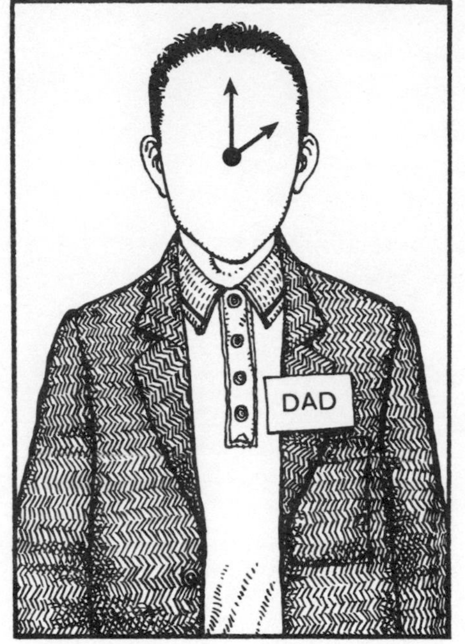

Dydi'r hambyrger orau
ddim yn llenwi'r twll
o golli Dadi;

na'r ychydig oriau ym McDonald's
yn ceisio cydbwysedd
rhwng Mam a Dad
wedi'r rhwyg, i ddim diben,
er yr holl wenu;

na chlamp o bwdin, a chellwair
a goglais
am awr ar bnawn Sadwrn
fawr o les.

Nid yw'n gwella'r salwch
o fod eisiau Dadi,
ac er i mi syllu i fêr ei lygaid,
dydi Dadi ddim yn gweld beth sydd ar y *menu*.

Digwyddiad cyffredin yn McDonald's, Wrecsam, ar brynhawn Sadwrn. Mae'n brofiad wythnosol anodd i'r plentyn ac i'r tad ddod i gyfarfod, gan nad ydynt yn cael cwmni ei gilydd drwy'r amser. Mae'r profiad yn cael ei adrodd drwy lygad deallus y plentyn.

Gair am air

cydbwysedd
ceisio bod yn deg â phawb, rhannu

diben
pwynt

Gorffen

Daeth y diwedd mor sydyn
fel ergyd o ddryll.
Dim yw dim mwyach.

Ein Cariad
dim ond castell arall
wedi ei faeddu gan y don.
Y tywod fu gynt mor ddeniadol
yn ddim ond slwj gludiog.

'Mi rof ffôn i ti rywbryd . . . neu rywbeth . . .'
Drosodd.
Atalnod llawn.

Cerdd am berthynas rhwng pobl ifanc yn dod i ben. Y brif ddelwedd yw'r syniad o gastell tywod hardd yn cael ei ddymchwel yn sydyn gan y don. Y gobaith yw y bydd y bobl ifanc yn parhau yn ffrindiau ac yn 'tele-gysylltu' yn y dyfodol.

Gair am air

dryll
gwn

gludiog
lleidiog, 'stici'

Noson y gêm

Maen nhw'n paratoi at drafferth heno, bois.
Maen nhw'n ofni ti a fi.
Ni yw'r gwylwyr mud
a ddaw i wylio'n ddiniwed ar y Cae Ras.

Maen nhw'n paratoi at drwbwl, lads.
Ddim yn trystio ti a fi.
Cŵn, ceffylau a hofrennydd neu ddau.

Ond rydan ni gam ar y blaen i'w triniaeth nhw.
Gan eu bod nhw â chyn lleied o ffydd,
mi gician ni yn fwy.
Am beidio â'n trin ni fel pobl
fe ddangoswn ni ein dannedd, bois.

Ambell dro gall noson gêm bêl-droed deimlo'n fygythiol gyda phresenoldeb y tyrfaoedd, a'r heddlu yn lluosog â'r dechnoleg ddiweddaraf i ddelio ag unrhyw drais. Gwir dweud hefyd bod lleiafrif eisiau difetha yr hwyl a'r awyrgylch yn gwbl ddireswm. Holi mae'r gerdd a yw ateb trais â thrais yn llwyddo – ar y maes pêl-droed, neu efo'r sefyllfa ryngwladol.

Gair am air

mud
tawel, di-ddweud

Grŵp roc

Rhoddwyd y tâp i recordio,
trawsnewidwyd y garej yn stiwdio.
Gyrrwyd ias a gwefr y gitâr i lawr y cefn,
taranodd y drymiau,
canwyd y geiriau newydd i'r meic,
a chrynodd y llwch yn y corneli.

Amser na ddaw'n ôl,
wedi ei ddal ar dâp.

Melodïau ein marwoldeb
sydd heddiw am goncro'r byd.

Cerdd yw hon am y grŵp roc sy'n ffurfio mewn ysgol neu goleg, a'r modd y mae pob cenhedlaeth, diolch byth, yn recordio traciau sy'n dweud eu hanes. Ac o garej neu gefndir cyffredin y llwyddodd grwpiau fel y Beatles i 'grynu y llwch yn y corneli' mor gofiadwy, a gadael eu hôl ar y byd. O blith y breuddwydion mae ambell un yn dod yn 'Eilun Pop' neu *Pop Idol*.

Gair am air

trawsnewid
gweddnewid,
newid yn llwyr

melodïau
alawon

Llinell gymorth y conau

(Cyflwynedig i gonau ar y draffordd. Mae arwyddion yn ein hannog i ffonio'r llinell gymorth.)

'Helo, Llinell Boeth y Conau?
Ffonio ydw i
i ddweud cymaint
wnes i fwynhau y conau
am filltiroedd ar ôl ei gilydd
ar y draffordd.'
'Diolch o gôn i chi. 'Dan ni'n lecio plesio.'

'Helo,
dwi'n chwilio am ddoctor
ar ôl antur cymaint o gonau
ar y draffordd
dwi'n dechrau edrych, ac ymddwyn fel un.
Be wna i?'

'Ni all Papa Côn
ateb holl fwrlwm y Llinell Boeth,
mae o'n dioddef o stress ei hun!
Ar ôl creu un conyn
roedd pawb isio un!'

'Helo, Llinell Boeth y Conau?
Ga i logi
Papa Côn
i wneud ymddangosiad
ym mharti pen-blwydd fy mab
yn Burger King?'

Meddai llefarydd:
'Wnawn ni weld be fedrwn ni ei wneud . . . '

Nid oes y Dalek peiriannol yw hi,
wfft i E.T. a'i ffonio gartref dragywydd.
(Dach chi 'di gweld ei fil o?)
Nid triffid yw ofn mawr yr oesau
na soseri yn glanio o fannau estron
ond gwyliwch am y mŵfi
'Dychweliad y Conau.'

'Doctor, doctor.'

'Be chi moyn?'

'Rôl teithio am oriau,
rôl cymaint o'r tacla
ma gynna i ofn . . . ym . . . fod gen i gonaffobia.'

'Stopiwch eich hen gônan!'

Cerdd hollol ysgafn ydy hon yn chwarae efo geiriau a thafodiaith. Mae'n codi o deithio ar y drafford M56 i weld fy chwaer hynaf Gwenan sy'n byw yn ardal Oldham yn Swydd Gaerhirfryn. Digwyddodd hithau ddweud bod pwy bynnag a ddyfeisiodd y conau ffordd yn siŵr o fod yn filiwnydd sawl gwaith trosodd, oherwydd bod cynifer ohonynt ar y ffordd. Wrth ddychwelyd sylwais fod llinell ffôn am ddim er mwyn cael holi am hynt a helynt y conau.

Gair am air

conyn
côn ar y lôn

triffid
tyfiant oedd yn bygwth meddiannu'r byd ar ffilmiau ffuglen wyddonol

Disg galed

Est ti yn syth i mewn
i'm Disg Galed,
gadewais i ti grwydro'r dogfennau
yn frau agored, heb ddweud dim.
Anaml y byddaf yn eu hagor.

Fel awel oer di-ddeall
teithiaist drwyddynt
heb hidio am eu presenoldeb go iawn.
Roeddwn wedi disgwyl awel haf.

Gyda fflic y llygoden
datguddiaist y fi mewnol
a fflicio oddi yno
yr un mor beirianyddol, sydyn.

Dim awel cydymdeimlad,
dim ond difaterwch
du a gwyn
y dydd.

Gadewaist y drws ar agor
a daeth feirws sylweddoliad
i dagu dyfodol rhyngom.

Bellach rwy'n disgwyl dy e-bost
na ddaw,
gan i ti weld
mai disg feddal, hawdd ei chleisio
oedd y ddisg galed wedi'r cyfan.

Ar ddisg galed y cyfrifiadur yn hytrach na'r ddisg feddal yr arbedwn ein dogfennau pwysicaf, y pethau sydd anwylaf i ni. Rwy'n darlunio perthynas rhwng dau fel rhywun yn cael mynediad i'r canol llonydd hwn, i'r ystafell fewnol – i'r ddisg galed. Ond bydd ambell un yn tynnu allan eto, ambell un yn aros. Defnyddiais ddelweddau a thermau cyfoes byd y cyfrifiadur yn fwriadol i gyfleu teimladau ac emosiynau mewn ffordd sydd, gobeithio, yn taro'r darllenydd yn newydd.

Gair am air

sylweddoliad
sylweddoli/deall rhywbeth

cleisio
anafu, brifo, difetha